The Road from Thirteen
by Ryu Murakami

13歳の進路

村上 龍
［絵］はまのゆか

幻冬舎

The Road from Thirteen
by Ryu Murakami

13歳の進路

はじめに

「進路」というのは、未来に向かって「進んでいく道」だ。進路は未来へとつながっている。できれば、親や教師や社会から「振り分けられ」「与えられる」のではなく、自ら「選びとる」という積極性を持ってほしい。進むべき「未来への道」を選ぶためのヒントを示すために、この『13歳の進路』は作られた。

進路指導

中学校卒業後の、さまざまな「進路」を、できるだけわかりやすく、図にして示すことにした。多くの中学校で、また高校でも、「進路指導」が行われている。だが、そのほとんどは単に子ども・生徒の学力と、家庭の経済力に応じたもので、しかも中学から普通高校、大学から就職というコースを標準としている。子ども・生徒の適性や能力を考えた上でさまざまな進路を示す、というようなシステムにはなっていない。子ども・生徒は基本的に、大人に向かう進路を自ら選びとるのではなく、能力と経済力に応じて「振り分けられ」、ポジションを「与えられる」ことになる。

だが、その原因は、進路指導を行う学校や個別の教師が無知で怠慢だからではない。もともと日本の教育は、子どもが自立して生きるための能力を開発するというより、集団の中で働くための一般的で一律の知識と規律を教えるのを目的としてきた。明治の開国と近代化の過程で、「富国強兵」という目的で確立されたものだが、その基本的な考え方とシステムは変わっていない。だから、教育のカリキュラムに「職業訓練」という概念が組み入れられていない。学校も、個別の教師も、中学、普通高校、大学、就職、という標準的なコースを示し、学力と経済力に応じて、工業・商業高校、高等専門学校などに振り分ける以外、進路指導ができなかった。

雇用の変化

そういった「教育」は、現在大きな岐路に立たされている。高度成長とともに近代化が終わり、グローバルな競争が生まれ、社会全体が変化し続けていることが明らかになってきたからだ。改革の兆しがまったくないわけではないが、今でも教育が社会の変化に対応できているとはとても言えない。たとえば、この20年間に「雇用」は大きく変わった。終身雇用、年功序列という代表的な日本的雇用慣行は過去のものになりつつある。

また企業は、新しく採用する人材に対し、一般的で一律の知識や能力や規律を求め

なくなった。多くの社員を抱える大企業では、経営・営業・開発などの少数のエリート候補と、短い研修を積めば誰にでもできるような単純な仕事の従事者を別々に考えるようになり、改正された労働者派遣法がその傾向を急速に進めることになった。単純な仕事に従事する若年労働者は、正規社員ではなく、非正規の雇用となることが多い。

　2008年の大不況以後、非正規社員のリストラが話題になった。非正規雇用には、派遣社員、契約社員、パート社員、アルバイトなどいろいろな形があるが、共通して非常に弱い立場にある。雇用保険・健康保険・年金などの社会保障が不充分で、給与や有給休暇などの労働条件が正規社員に比べて劣る。そしていつ雇用契約を打ち切られるかわからない。経営側は、非正規社員の給与を「流動費」に計上する。つまり、業績が悪化したら切り捨てることができる労働力として考えている。

　15歳から24歳の若年層の半数近くが非正規雇用だと言われている。ただし、非正規雇用が増えたのは、若者たちが昔に比べて怠け者になっているとか、能力が低下しているからではない。前述したように、おもな原因は、企業の求人傾向の変化に対し、教育が対応できていないためだ。

非正規雇用はなくならない
　非正規雇用の問題は、単純に非正規社員を正規社員にするだけでは解決しない。同じ価値の労働であれば正規、非正規の時間あたりの賃金を完全に同じにして、社会保険、育児・介護休暇などを正規社員と同じ条件で非正規社員にも与え、さらにフルタイムの労働とパートタイムの労働を労働者自身の請求によって自由に選べるようにしなければならない。

　だが、正規社員の利害に関わる解決策なので、既成の労働組合などからの賛同は得にくいだろう。だから、非正規雇用は、当分なくなることも、劇的に減ることもない。そして、正規社員のポジションを確保するための絶対的な進路というものがあるわけではない。たとえ東京大学を出ても、必ず大企業の正社員になれるとは限らない。重要なのは、何が何でも正規社員を目指すことではなく、まず目の前のさまざまな進路を把握して、方向性を自ら考えることだと思う。

さまざまな進路
　スーパーカーの整備士、精密機械の金型(かながた)職人、伝統工芸職人など、その種類は少ないが、高校に進学しないで、中学卒業後すぐに働くほうが合理的だという職業もある。ただし、いずれも厳しい職場で、「勉強が不要だからいいかも」というような、安易な

気持ちで働くことは許されない。

　中学卒業後、誰にも頼らず、犯罪組織にも入らず、一人で生きていくための学習と訓練を、すぐにはじめられる施設は限られている。自衛隊に入隊するという選択肢を紹介したのは、給料をもらえて、さらに学習もできて、将来的にさまざまな資格も取れるという組織は他にないからだ。また、中学卒業後海外に出て、料理や音楽やダンスなどの修業をしたり、学校に入る道も紹介しようかと考えたが、明確な目標がない場合、単なる現実逃避になりがちなので止めた。「海外に出る」という選択肢が特別に存在するわけではない。

「有利な道」ではなく「生きのびる方法」

　これまで進路は、どの方面に進むのが有利か、という風に語られることが多かった。どの学校に行けば就職に有利なのか、どの産業に就職すれば将来的な安定が得られるのか、というような考え方だ。だが、それはこの本で繰り返し指摘している通り、日本経済が成長を続けていたのどかな時代の名残だ。雇用に関する限り、高度成長時やバブル以前の成熟期よりも今のほうが状況ははるかに厳しい。製造業の非熟練労働、単純労働では、直接的に東アジアの労働者との競争にさらされている。非製造業、サービス業でも、たとえば居酒屋などでは多くの外国人が働いている。

　非正規労働者は、法律で定めた最低賃金に近い時給で働くこともある。もともと最低賃金は、主婦や学生のアルバイトの「家計の補助的な」労賃として考えられている。だから、最低賃金で生活していくのは基本的に無理だ。食べて寝るだけで、病気をしても病院にかかれないこともある。親などの援助がなければ、結婚するのも子どもを産んで育てるのも不可能だ。つまり、現在の法律で決められている最低賃金は、人間として生きていくための最低限の保証ではない。

　そして現在の日本経済を考えると、今後劇的に最低賃金が上昇することは考えられない。だから、進路を考えるときに、どの方向が有利か、というような問いは、経済力や学力に恵まれた子どもや若者だけに許された限定的なものだ。だから、どの方向が有利か、ではなく、どうすればこの社会を一人で生きのびていけるか、という問いに向き合う必要がある。

職業能力開発校（公的職業訓練施設）

　中学卒業後の進路というのは、本来大人になるための知識を学び、技術を訓練するさまざま道筋を示すものだ。だが、わたしたちの社会には、致命的とも言える大きな欠点がある。民間の専門学校以外、また医師や看護師などごく一部を除いて、教育に「職業訓練」が含まれていないことだ。高度成長期から90年代前半まで、実質的な職業訓練は、主として民間企業によって行われてきた。新入社員の集団研修、あるいは先輩社員によるOJT（オン・ザ・ジョブ・トレーニング＝仕事を通しての職能訓練）などである。

　行政は、さまざまな理由で高等教育を受けることができない若者に対し高度な職業訓練を施してより多くの優れた人材を育てるという発想をつい最近まで持っていなかった。少子高齢化など影も形もなく、若年労働者が常に新しく供給可能で企業も成長し続ける、そんな時代が長かったので、政府や自治体は有益な人材育成のための積極的な公的職業訓練の必要はないと考えていた。

　08年以来の大不況で雇用が激減していることから、政府や自治体は、職業訓練が重要だという考え方のもと、予算を付けて、訓練施設や訓練内容を充実させようとしている。状況は改善されつつあるように見える。だが、政府・自治体の努力がいつ実を結ぶのかわからない。5年後か、10年後か、あるいは20年後かも知れない。今、進路について考え、職業訓練を受けたいと思う若者は、職業訓練のシステムの充実をのんびりと待っているわけにはいかない。

　しかも、公的職業訓練施設で学習し訓練を受ければ必ずどこかに就職できるというわけではない。高収入に結びつく高度な技術や技能がすぐに身につくわけではないし、たとえ資格を得てもそれが必ずしも就職に有利になるわけではない。用意された資格が実社会の需要とマッチングしていないし、民間企業との連携も充分ではないからだ。その点では、西ヨーロッパの先進国に比べると、はっきりと見劣りがする。だが、西ヨーロッパの先進国をうらやんでもしようがない。ほとんどすべての日本の若者は、この国でサバイバルしていかなければならない。

　だから戦略としては、この国で用意されている公的職業訓練施設を、「利用」するということになる。たとえば、中卒や高卒で「自動車整備工」を目指す若者は、何の準

備もないまま就職するよりも、公的職業訓練施設を出たほうが明らかに有利だ。この『13歳の進路』では、公的職業訓練施設について、できる限り詳しく紹介することにした。

公的職業訓練施設は、かつて「職業訓練所」と呼ばれていたころの影響もあって、イメージが悪い。だが、少しずつだが、状況は変わりつつある。その分野に興味と意欲がある若者は、かなりの訓練を受けることができる。それに、何よりも経費が安い。また指導員や、ともに学ぶ訓練生たちとネットワークを作ることができる。そして、「モノを作ることにどんな喜びや困難があるか」「働くとはどういうことか」を学ぶことができるのだ。

進路を選びとる

現在、一般的に、就職は極めてむずかしく、若者たちは、相当の知識や経験や技術がない場合、自らの労働力を安く切り売りすることを迫られる。そして社会に出て働いてみて、多くの若者がはじめてその事実に気づく。不安定な雇用契約で、安い賃金でこきつかわれ、その時点ではじめて、学問や訓練の重要性に気づくことも多い。

なぜ自分はもっと勉強しなかったのだろう、積極的に資格を取ったり能力を磨いたり、いろいろな人とのネットワークを作ったり、どうしてそういった努力をしなかったのだろうと自問する。チャンスがあればもう一度勉強し直したいし、訓練を受けたいし、能力を磨きたいし、強い資格を取りたい、そう思う若者は多いはずだ。しかし、社会に出たあと、そういった厳しい現実に気づいても、ある程度の経済的な余裕がなければ、再チャレンジはむずかしい。

公的職業訓練施設は有用ではあるが万全ではないし、実質的な技術や知識を学べる民間の専門学校の学費は決して安くないし、一度社会に出たあとで奨学金を得るのは、絶対数が不足している看護師など一部を除けば、簡単ではない。

だが、希望する高校に落ちたり、高校を中退してしまったり、専門学校に行く資金がなかったり、大学を出ても就職先が見つからなかったりしても、絶望してはいけない。社会の中で生きのびる、つまりサバイバルしていくのは簡単ではないが、しかし、対応策がまったくないわけではない。その対応策の可能性を探るために、この『13歳の進路』は作られている。

13歳の進路｜目次

はじめに｜3

進路図｜10

高校（普通・農・水産・商・工・家庭・福祉・情報・総合・看護）｜12

高等専門学校｜18

フリースクール｜24

高等学校卒業認定試験｜30

大学（短大・大学・大学院）｜34

専門学校｜44

職業能力開発校（公的職業訓練施設）｜54

通信教育｜92

資格予備校｜96

奨学金｜98

自衛隊｜104

高校生・大学生のための特別編

Essay 15歳の選択 | 121

Essay 営業・販売とはどういう仕事か | 130

特別寄稿

ユニ・チャーム株式会社　代表取締役社長執行役員　高原豪久 | 132

株式会社ミキハウス　代表取締役社長　木村皓一 | 136

株式会社ティア　代表取締役社長　冨安德久 | 138

株式会社　ジェイティービー　代表取締役社長　田川博己 | 142

株式会社エイチ・アイ・エス　代表取締役会長　澤田秀雄 | 146

株式会社ヤマダ電機　代表取締役会長兼CEO　山田昇 | 148

株式会社ダスキン　代表取締役会長　伊東英幸 | 150

株式会社AOKI　執行役員　横浜港北総本店総店長　町田豊隆 | 152

野村ホールディングス株式会社　執行役社長兼CEO　渡部賢一 | 156

加賀電子株式会社　代表取締役会長　塚本勲 | 158

株式会社ジャパネットたかた　代表取締役　高田明 | 162

日本マクドナルドホールディングス株式会社
代表取締役会長兼社長兼CEO　原田泳幸 | 164

大和ハウス工業株式会社　代表取締役会長兼CEO　樋口武男 | 166

株式会社ニトリ　代表取締役社長　似鳥昭雄 | 168

三菱地所ホーム株式会社　東京事業部　所長　前川達也 | 170

株式会社21　相談役　平本清 | 172

おわりに | 175

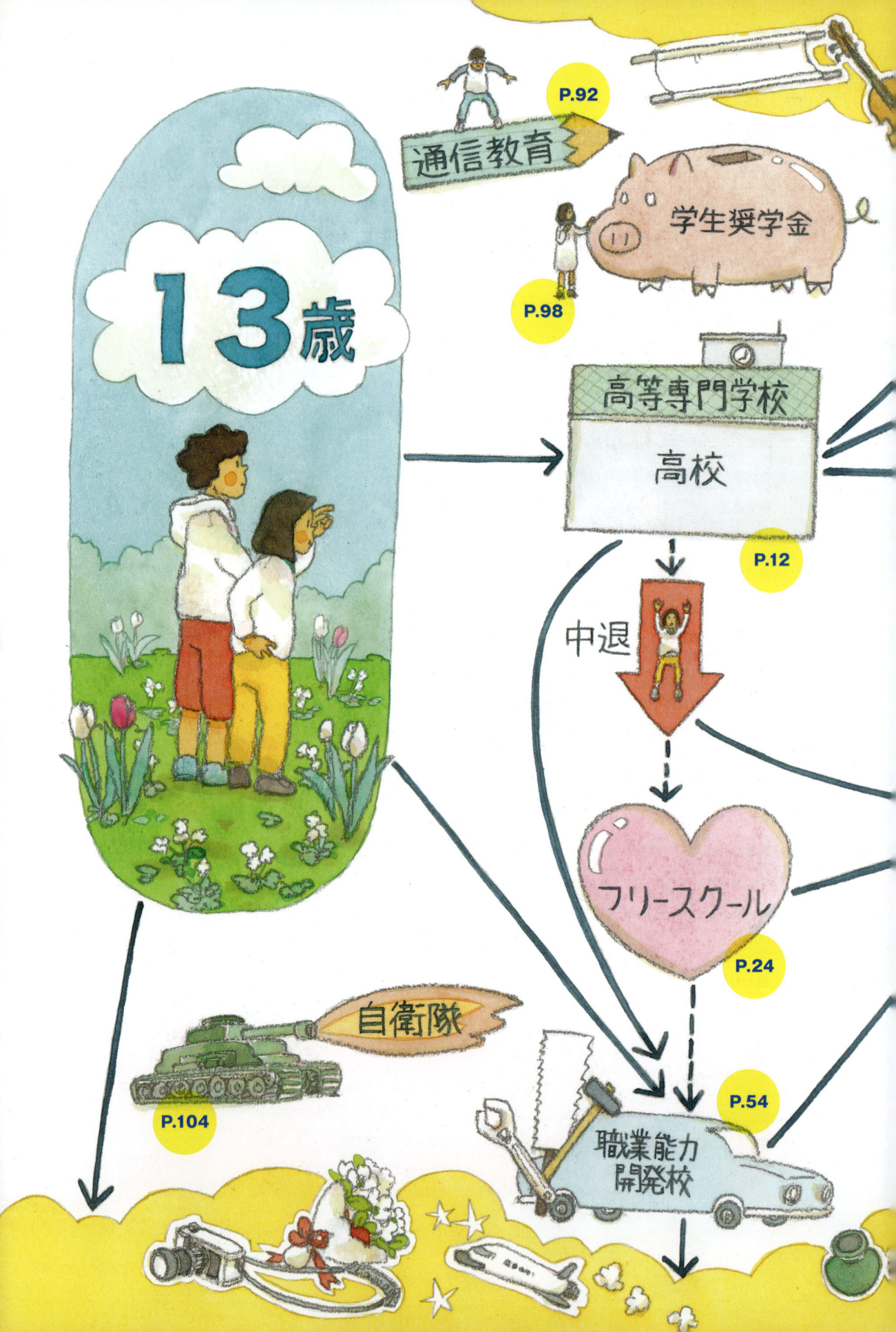

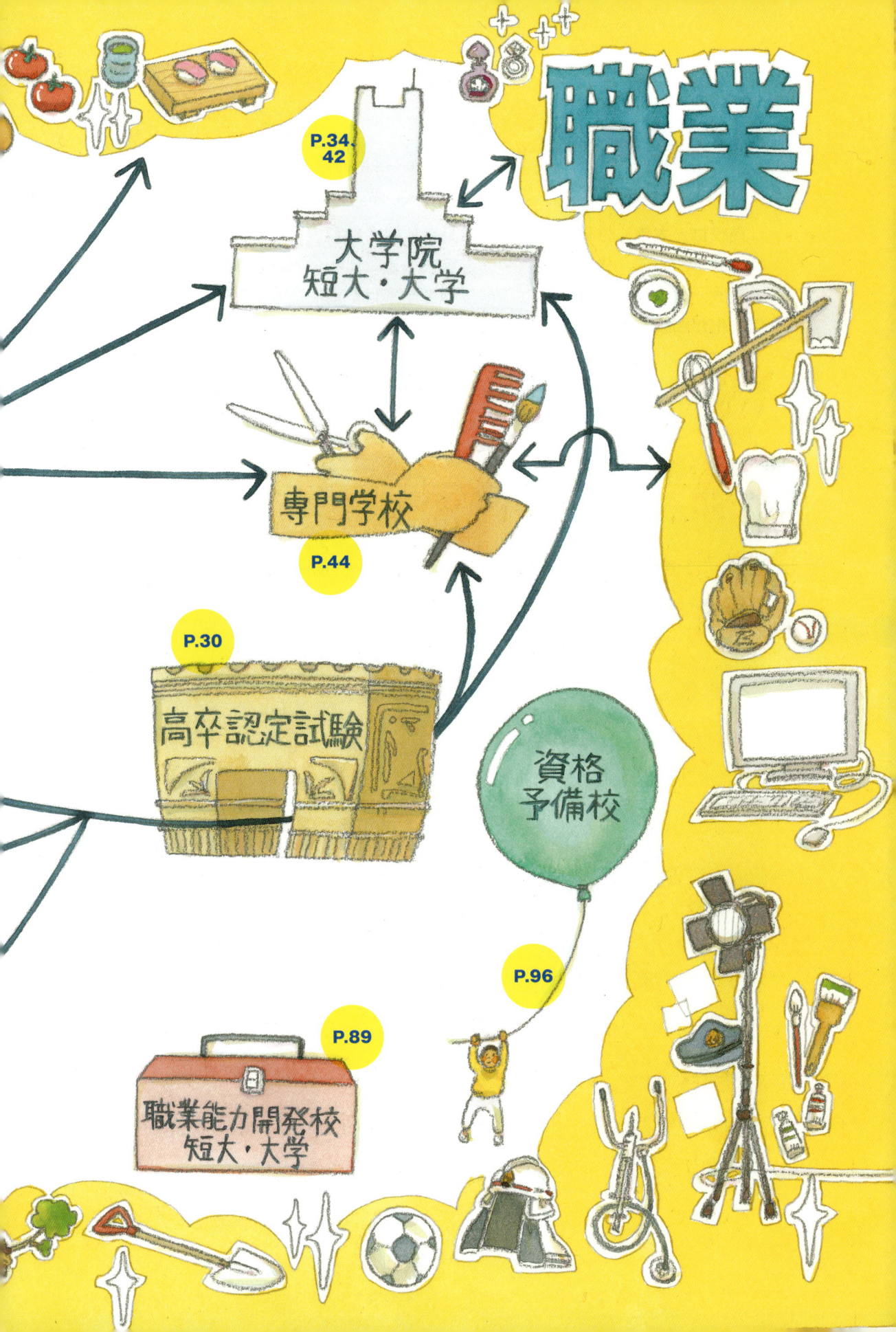

進路 | 高校

　高校は、大きくは普通高校、職業高校、総合学科設置高校に分かれる。勉学にスポーツに、青春を謳歌すべき年代を過ごすわけだが、現在、専門学校と短大、大学を合わせると、高卒後の進学率は7割に達している。高校の予備校化が問題となり、高卒者の就職は年々厳しくなる傾向にある。

高校には、大きく分けて、普通高校、職業高校（専門高等学校）、総合学科設置高校がある。現在、専門学校と短大、大学を合わせると、高卒後の進学率は7割に達している。つまり、高卒者の70%は進学する。ここでは高校の種類を示すが、現実的には、自分の意思で高校を選ぶのは非常にむずかしい。学力と、親・保護者の経済力、そして地域によって、選択は限られたものになるからだ。多くの高校進学者は、「高校を選ぶ」のではなく、学力と親・保護者の経済力によって各高校に「振り分けられる」ことになる。

　職業高校には、工業科、商業科、農業科、水産科、家庭科、看護科、情報科、福祉科などが含まれる。高学歴化が進むにつれて、工業高校、商業高校でも進学率が上がった。推薦枠で大学へ行ったり、より高度な知識と技術を学ぶ同系の専門学校への進学者が増加した。職業高校では、専門・実習・職業科目の履修数を減らし、一般教育に切り替えるところが増えた。社会的な要求として、高校には一般教育しか期待しないという考え方が主流となり、学校間の格差の拡大から、底辺校の荒廃という切実な問題も生まれている。

　職業高校への進学者は、年々減り続けている。数年前に新設された情報科と福祉科だけは例外だが、学校そのものがまだ非常に少ない。二つ合わせても全体の0.1%にもならない。普通高校は以前よりもさらに生徒の割合が増え、全体の約7割強を占めるようになった。工業高校、商業高校でも生徒数は減っていて、農業高校、看護高校、水産高校、家庭科などは、閉校の危機に瀕しているところも多いと言われている。ただし、職業高校の専門教育が以前より劣っているというわけではない。ほとんどの学校は、時代の要請に適応するカリキュラム作りに努力を重ねている。

　生徒数減少の原因としては、専門学校・大学卒に比べて高卒者の給与が低く、昇進などにも差があることが広く知られたことが大きい。高学歴化が進んだことで、企業の専門学校・大卒者採用のコストが小さくなり、それがさらに専門学校・大学への進学を加速させるという、高学歴化の循環が起こっている。

　だが、漠然と高校に進学するのではなく、自分は何のために高校に行くのかを考えるのはムダではない。高校を卒業したあと社会に出て働くのか、専門学校や短大・大学に進学するのか、あるいは職業訓練施設で学ぶのか、イメージすることは大切だ。「お前は普通校は無理だから工業高校しか行くところがない」そう教師や親に言われて工業高校に行くのか、それとも卒業したら工業関係の職業に就くと決めて工業高校に行くのかでは、大きな違いがある。

高等学校　普通科

　高等学校普通科では、一つの分野を専門的に学ぶ職業教育に対し、一般に必要とされる分野を幅広く学ぶ普通教育を行う。学習内容は、国語・地理歴史・公民・数学・理科・保健体育・芸術・外国語・家庭・情報がある。その他、学校によって「宗教」など教育に必要な科目を独自に設定して置くこともあり、学校によって授業内容や進路指導にも違いがある。全体の約7割の生徒が、普通高校に通っている。

　普通科は、特定の分野に限らず幅広い学習を行うため、進路の選択肢は広い。ただ実際には、何のために進学し、何を目指して学び続けるのかを考えることがないまま、進路を決定してしまう生徒も少なくないのが現状である。3年間は進学のための踊り場ではなく、自分の興味・関心がどこにあるのかを見極めるための貴重な時間である。

農業高等学校

　おもに、農業に関する学科が設置されている専門高等学校。普通教科に関する学科の他に、作物、畜産、造園、農業経営などについての学科があり、外での実習が多い。農業関係者の子息が家業を継ぐための知識を学ぶために通うことが多かったが、近年では、環境デザイン、生物工学、産業情報処理（パソコンによる情報処理）、食品流通、農業機械など、多種多様な学科が新たに設立されている。

　卒業後の進路は、家業を継ぐ生徒以外は、農業に関連した大学や専門学校などに進学したり、農業とはまったく関係のない専門学校に進学するのがほとんどだ。それらを卒業した後は、花屋や植物の栽培会社、畜産の加工業者、畑・果樹園に就職をしたり庭師になったりする他、学校で学んだ測量技術を活かしてビルや道路工事などの測量士になる生徒もいる。

水産高等学校

　おもに、水産に関する学科が設置されている専門高等学校。水産科・海洋科・漁業科・航海科・機関科・水産製造科・食品科・情報通信科などの科がある。各県におおむね1校ずつのため、寄宿舎を備えている学校が多い。

　授業では、おもに遠洋漁業や養殖漁業が学べ、航海訓練も行われている。卒業後は、漁業、海運、養殖、食品製造、冷凍、販売、飲食、港湾建設、海洋レジャーなどの水産業関連に就職する者が6割以上おり、職業高校の中で最も就職率が高い。学科により取得できる資格は異なるが、スキューバ資格や潜水士資格を授業で取得したり、5級海技士の国家試験免除や、小型船舶操縦士受験資格が得られたりする。その他にも、高校での実習期間により海技士試験条件の乗船期間が短縮されるなど、水産系資格を目指すには、有利な授業内容になっている。

商業高等学校

　おもに、商業に関する学科が設置されている専門高等学校。商業、経済、国際経済、会計、流通、情報処理などの学科がある。普通高校に比べて語学や理系の授業数が少なく、商業系専門科目の授業時間が非常に多くとられている。事務職などの就職に役立つよう、ほとんどの学校では在学中にさまざまな資格取得を目指して熱心な指導が行われる。

　かつては進学に不利といわれたが、商業・経済・経営学部を中心として簿記検定などの資格取得者には推薦入学など優遇制度を設けている大学もある他、センター試験においても、数学の代わりに簿記・会計科目での受験が可能になってきているため、今では過半数が大学に進学している。しかし、商業系以外の学部に進む場合には、カリキュラムの壁もあり相当の努力が必要となるだろう。

工業高等学校

　おもに、工業分野に関する学科が設置されている専門高等学校。機械、電気、建築、土木、化学、繊維など、さまざまな分野の学科が設置されている。9割近くが男子生徒だが、デザイン系などの学科には、女子の応募も増えている。工業高校のほとんどは、社団法人「全国工業高等学校長協会」（全工協会）の会員校だ。全工協は、各種検定試験（国家資格を除く）や全国製図コンクール、ロボット競技会などの主催者となっていて、各種資格・検定に強い影響力を持っていることから、資格取得に熱心な高校も多く、家業を継ぐために特定の資格取得を目的として入学する生徒もいる。

　地元の企業や大手企業との太いパイプを持つ工業高校が多いため、不況に強く就職に有利、と言われており、卒業後は技能職として企業への就職を目指す生徒が多かったが、近年では、卒業後に大学や専門学校に進学する生徒も増えている。

家庭高等学校

　おもに、家庭に関する学科が設置されている専門高等学校。一般科目に加えて、衣・食・住について専門的に学ぶことを目的としている。そのなかでも家庭、家政、食物、被服、保育、調理、生活文化、生活科学、生活デザインなどのコースに分けられ、より専門的に学ぶことができる学校もあるが、これらは普通科などの学科の一つとして設置されており、女子高校や農業高校に多く置かれていることが多いため、家庭高等学校の名称が使われることはほとんどなく、女子が9割近くを占めている。在学中に、全国高等学校家庭科技術検定（被服製作・食物調理）1級の取得を目指す。卒業後の主な進路としては、就職が一番多く、大学と専門学校がそれに並んでいる。進学者は、高校で学んだ知識を活かしながら、さらに専門性を深めるため家政に関連した学科を選ぶ者が多い。

福祉高等学校

　おもに、福祉についての学科が設置されている専門高等学校。福祉科、社会福祉科などの学科があり、介護技術だけでなく、福祉に関する歴史や法律、医学の分野までを学び、高齢者や障害者を支えるために必要な知識と技術を習得する。そして一人で日常生活を送ることが難しい人に対して、入浴・排泄・食事などの介護を専門的に行うスペシャリストである「介護福祉士」の資格取得を目指す。卒業後の進路は、進学と就職が半数程度だが、卒業後も福祉関連の大学や専門学校に進学したり、福祉に関わる職業に就く生徒が多い。これは、ますます高齢化する社会を迎え、福祉という分野が更なる需要を見込まれている証でもある。

情報高等学校

　おもに、コンピュータ教育などの、情報に関する学科が設置されている専門高等学校。他の専門高等学校と違い、情報高校として独立しているものは少ない。情報システム科、情報処理科、情報工学科、情報科などの学科があり、大きくは商業系統と工業系統に分かれ、それぞれ商業高校や工業高校などに設置されている。

　一口に情報系学科といっても、学べる科目は学校によって異なる。職業高校の中で最も生徒数が少なく、男子の比率が高い。情報科を卒業後すぐにSEやプログラマーとして働く人はほとんどおらず、他職種へ就職するか大学や専門学校で勉強を継続することが多いのが現状だ。しかし他の職業高校と同様に、大学受験に必要な教科の授業がない場合もあり、上位学校に進学するには相当な自己学習が必要になる。

総合高校

　平成6年度から開始された、「普通科」と「専門学科」どちらかに偏らず学べる学科を備える高等学校。情報・伝統産業・工業・流通・国際社会・地域振興・海洋資源・生物生産・福祉サービス・芸術・生活文化・環境科学・体育健康の13科目から好きな学科を掛け持ちして学ぶことができ、卒業までに所要の単位を取得すれば卒業できる単位制を取っているため、多様な教科・科目が学べる。

　入学試験で学力検査がないところもあり、面接や自己表現の方に重きがおかれている。設置されている学科の選択の仕方により、進学にも就職にも幅広く対応できる高校を目指している。

看護高等学校

おもに、看護に関する学科が設置されている専門高等学校。卒業すると准看護師の受験資格が得られる。だが、戦後の看護師不足に対応するための暫定措置であった准看護師の需要は減少傾向にある上、正看護師に比べ待遇面での不利も多いため、卒業後は8割近い生徒が正看護師を目指して大学または短大などへ進学する。そのため、近年では看護高等学校から5年一貫教育で、正看護師受験資格を取得できる看護師養成教育学校も創設されている。

3年間の課程を終了すると高校卒業資格が与えられるため、大学などに進学し、より高度な学習を続けることもできる。ただ、看護の勉強をしながら一般科目の学習もしなければならず、普通科などに比べてかなり厳しいカリキュラムをこなす覚悟が必要だ。

進路 | 高等専門学校

　高等専門学校は、5年間の一貫教育で中堅技術者になるための専門知識を学ぶ。その技術力は、「ロボコン」でも知られていて、長い間日本の製造業を支えてきた。今、進学率の上昇とともに、入学希望者は減少傾向にあり、各学校は新技術に対応したカリキュラムの充実など、対応を迫られている。高専は過度期を迎えているが、技術立国の重要な支柱としての役割はいまだ終わっていない。

工学離れ

　高等専門学校は、急激な工業化に対応するため、財界・産業界の強い要請もあって、1962年に誕生した。第一期校として全国に12校が開校したが、話題性もあって、平均17倍という非常に高い志願倍率となった。わたしの故郷である佐世保にも一期校として高専が設置された。わたしは当時小学校5年生だったが、近所のお兄ちゃんが、「高専に合格した」と誇らしげに自慢していたのをよく覚えている。

　高度成長が加速していくなか、高専の人気は衰えることなく、各自治体は競うように誘致を繰り広げて、毎年10校ほどが開校し、卒業生の求人倍率は常に十数倍、就職率もほぼ100%だった。高専の人気にかげりが見えるようになるのは、1990年代後半からだ。求人倍率や就職率は依然として高水準だが、生徒数も志願倍率も減り、地方によっては定員割れの学科が出たり、統合再編も多くなっている。

　だが、人気がなくなっているのは高専だけではない。大学の工学部も、志望者がここ数年で4割も減少して「工学部離れ」と話題になった。本当に「工学部離れ」という現象があるのかどうか、少子化の影響もあるのではっきりとしたことはわかっていない。だが、たとえば「医療系」の志願者の増加に比べると、工学系の志望者は確かに減少している。

その理由

　医療系が人気があるのは、たとえば看護師の場合、絶対数が足りなくて就職が確保される、というだけではないと思う。社会が成熟すると、多くの子どもや若者が、「人のために」何かしたい、やりがいのある仕事をしたいと思うようになる。製造業は、花形ではなくなるのだ。工学系の代表であるエンジニアの仕事は、高度化、細分化して、高度成長時代と比べるとわかりにくくなった。工学部から金融・証券の会社に就職する学生も増えているという。

とくに電気・電子系では、韓国や中国企業の進出がめざましく、国内企業も海外に生産拠点を移すなど、衰退感がある。製造業は、韓国や中国、それに最近はインドやベトナム企業と競争しなくてはならない。当然、労働者の賃金も低く押さえられることになり、エンジニアも例外ではない。人、金、モノがものすごいスピードで国境を越える時代には、製品や部品を作るよりも、金やモノを取引する金融・証券や商社、それに人や生命と関わる医療に優秀な若者が興味を示すのは自然の流れなのかも知れない。

高専の役割は終わっていない

　日本の製造業には、高度成長時のような勢いはない。大企業も、中小零細企業も、人件費の安い東アジアの企業との競争を強いられ苦戦している。中国や韓国には真似のできない、付加価値の高い製品を生み出している企業はとても少ない。だが、日本から製造業がなくなることは絶対にない。日本の製造業が完全に衰退してしまうときは、日本そのものが衰退するときだ。数は少なくなってしまったが、全国で、独自の技術を持つ先端的な企業が確実に生き残っている。

　また、環境やバイオ、それにナノテクなどの先端的な分野でも、常に工学系の高等教育は求められている。高専も、新しい学科やカリキュラムを取り入れるなど、要望の変化に適応しようとしている。そして、電気、機械、部品、設計、自動車やロボット、飛行機やロケットなどに興味がある若者が日本からいなくなることもないだろう。技術大国を支えてきた高専は、今でもその重要な役割を失っていない。

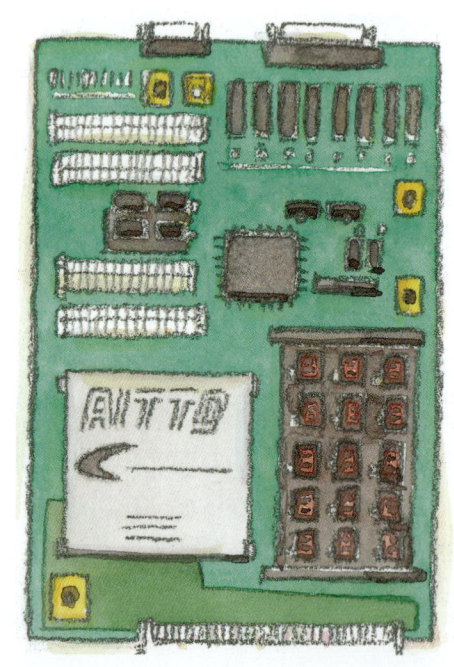

高専の学科

　高等専門学校は、5年一貫教育（商船学科は5年6ヶ月）で、一般科目とともに、技術者になるための体系的な専門知識を学ぶ。基本的には学科制で、1学科1学級。入学志願者は出願時に志望学科・コースを提出する。入学後、学力検査や内申書、面接の結果などにより、学科・コースが

決められる。公立・私立高専には、複数の学級で構成する学科もある。

　高専の学科は、大きく工業系と商船系に分かれるが、2007年度の入学定員約11,000人のうち、商船系はわずか200名で、工業高専が大部分を占める。他に、これまで電波高専、航空高専があったが、いずれも統合されて、その名称はすでにない。工業高専には、機械、電気・電子、制御情報、物質（化学系）、材料、環境都市、建築、デザインなどの学科がある。その他に、経営情報、国際流通、医療器械、アニメーションなどの学科を設置する高専もしだいに増えつつある。

「ロボットコンテスト」「プログラミングコンテスト」など、全国規模で学生が日頃学んだ成果を競う全国大会も開催されている。とくにNHKでオンエアされる「ロボコン」は非常に有名で、これに参加するために入学するという生徒も多いらしい。「ロボコンに出たいから高専に行く」というのは立派な動機であり、今後もこのような工学系志望者をふやすための試みは増えるべきだろう。

商船高専

　富山商船高専（富山県射水市）、鳥羽商船高専（三重県鳥羽市）、広島商船高専（広島県大崎上島町）、弓削商船高専（愛媛県弓削島）、大島商船高専（山口県周防大島）の5校がある。いずれも商船学科だけではなく工学科などが併設されている。また海事システム学などの専攻科も設置されている。5年生の後半から、まとめて12ヶ月間、独立行政法人・航海訓練所の練習船で乗船実習を行う。

　商船職員を養成する教育機関としては、東京海洋大学海洋工学部、神戸大学海事科学部の二つの大学学部があって、1年から3年次までそれぞれ1ヶ月ずつの短期実習、4年生の後半から9ヶ月の長期実習を行うが、商船高専では、まとめて12ヶ月の乗船実習があるのが特徴だ。

航空高専

　東京都立航空工業高等専門学校は、東京都荒川区にあり、全国で唯一航空工学科が設置されている。戦前に東京府航空工業学校として設立され、機体製作、航空機関、精密機械の三つの科目があった。その後、さまざまな変遷を経て、1962年に都立航空工業高専となった。航空高専と呼ばれ親しまれてきたが、2006年度に都立高専と統合し、新しく都立産業技術高等専門学校として設立された。公立大学法人首都大学東京

が設置する産業技術大学院大学と連携して高専から専門職大学院という9年間一貫教育が行われている。2008年度からの運営は東京都を離れ、公立大学法人首都大学東京に移った。航空高専は2010年3月に閉校となる。

電波高専

　正式には電波工業高等専門学校で、戦前の無線電信講習所が母体となっている。仙台電波高専、詫間電波高専（香川県三豊市詫間町）、熊本電波高専（熊本県合志市）と全国に3校があった。現在では、それぞれ同県内の高専と統合され、仙台高等専門学校、香川高等専門学校、熊本高等専門学校となっている。情報通信工学、電子工学、電子制御工学、情報工学などの学科があり、専攻科には、電子情報システム工学、制御情報システム工学などが設置されている。

　3校にはそれぞれ興味深い歴史がある。たとえば熊本電波高専だが、熊本が旧日本陸軍の九州の拠点であり無線技術者が必要だったことから、1943年に旧逓信省所属の官立無線電信講習所熊本支所として設置された。ちなみに、日本の無線通信教育は、1916年に東京天現寺の安中電機製作所工場内に帝国無線電信講習会が開設されたときからはじまっていて、長い歴史がある。また、詫間電波高専（現香川高専）は、ロボコンで常に優勝、入賞を狙う上位校として有名な高専である。さらに全国高専プログラミングコンテストでも連続受賞を果たすなどの活躍を見せている。

授業料と進学

　授業料は国立高専の年間授業料が年額234,600円。入学金は84,600円（入学時のみ）。収入と学力（木更津では順位が上から2分の1以内が基準）を考慮して授業料が全額または半額を免除される制度もある。私立高専は年間授業料が国立高専よりも割高で（たとえばサレジオ高専では4・5年次は90万円）、施設維持費とあわせて約110万円となる。

　多くの高等専門学校には専攻科があり、5年間の本科を卒業後、更に2年間、よ

り高度な技術教育を行う。専攻科を修了すると学士の学位（大学学部と同じ）を得る。また、大学に編入学することもできる。理工系の学部を持つほとんどの国公立大学では、高専からの編入学を認めている。さらに、私立大学でも高専卒業生の編入学を実施するところが増えつつある。本科卒業生の約4割が、専攻科または大学に進学している。

進路 | フリースクール

　フリースクールは、不登校および社会的引きこもりの子どもたちに「学びの機会と居場所」を提供する民間の施設である。不登校児への行政の対応は常に遅れがちだった。フリースクールの歴史は、不登校児を持つ母親たちの闘いと努力の歴史でもある。今では社会的にも認知されつつあり、その形態はさまざまだが、制度疲労が指摘される既成の教育システムを補う重要な役割を担っている。

フリースクールの印象

　もう何年前になるだろうか、『希望の国のエクソダス』という中学生の大量不登校をモチーフにした長編小説を書いていて、東京のフリースクールをいくつか取材した。王子にあった「東京シューレ」もその一つだった。主宰者に話を聞いたり、子どもたちが集まっているフリースペースを見せてもらったり、彼らと話をしたりした。

　だが不登校の子どもたちが集うフリースクールの独特の雰囲気に対し、実はわたしは、違和感を持った。「家庭的に」雑然としていて、わたしの「学校のイメージ」とはかけ離れていたからだ。広い部屋に、楽器が置いてある音楽スペースや、テレビやゲーム機のあるコーナーや、本棚や遊具の箱などが雑然としていて、まるで整頓されていないだだっ広い子ども部屋のようだと思った。子どもたちはその大きな部屋の中で、何かを強制されることなく勝手に自分がやりたいことをやっていた。

「学校」は何のために

　その雰囲気は、わたしのイメージの中にある「学校」とはまったく違っていた。学校に対して、知識と社会的規律を学ぶところだという固定化したイメージを持っていた。学校は、校舎内に教室が規則的に並び、教室には机と椅子が整然と並んで、体育館や校庭やグラウンドなども、「雑然とした」場所であってはいけなかった。

　そもそも学校は、子どもが大人になって一人で生きていく力を身につけさせるためにある。知識の他に、学校で社会的規律を学ぶのは、社会に出てからそれが必要になるからだ。たとえば算数の授業中に国語の本を開いて大声で読んだりしてはいけないとか、清掃中にバケツの水を床にふりまいて遊んではいけないとか、テストをしているときに隣の生徒とお互いに話をしてはいけないとか、集団の中での約束事やコミュニケーションを学ぶ。

　わたしが東京シューレというフリースクールで感じた違和感は、この子どもたちは社会に入って職場という集団の中で戸惑ったりしないだろうかということだった。IT技術の進歩に伴って、自宅で一人でできる仕事も増えてきたが、誰もがそういった仕事に就けるというわけではない。

フリースクールの必要性

　ただし、今の既成の学校制度に従い、不登校にならずにちゃんと学校に通えば必ず社会的規律が身につくのかというと、それは疑問だ。多くの学校で「規律」として教え込まれているのは、単なる「服従」であることが多いからだ。

　実際にフリースクールを見て、そこに集まる子どもたちと話したあと、そのイメージは揺れ動いた。学校は本当に知識と社会的規律を学ぶところなのか、と自問した。何度自問してもその答えはイエスだった。だが、その学び方は一律ではなくてもいいのではないか、と思うようになり、最後に、一律な学び方を押しつけるやり方ではもはやすべての子どもに対応できないのではないか、という結論に達した。

　フリースクールは、おもに不登校児のための施設として、その意義と必要性が認められつつある。イジメにあって、またどうしても学校に馴染めなくて、居場所がなくなる子どもの数は決して少なくない。高校を中退し孤立して、行き場を失う若者も少なくない。そして彼らを受け入れる施設は限られていて、東京シューレのように、行政の支援を得られなくて長年苦闘してきたフリースクールの役目はますます大きくなっていくと思われる。

フリースクールの現状

　不登校や中退してしまった子どもなど、何らかの事情があって学校に通わなくなった子どもたちに、学びの機会と居場所を提供する場所であるフリースクールは、行政や教育の既存のシステムでは子どもたちを救えないと考えた人たちによって、1980年代に自発的に誕生した。

　1992年、当時の文部省は不登校は誰にでも起こり得るものだとの認識を示し、学校以外の場所に通っている子どもにも出席日数を認めるとの通達を出した（ただし、義務教育である小中学

校は、出席日数で卒業の資格を決めていないため、フリースクールに通うことが出席日数に認められないからといって進級や卒業の心配はない)。また、通学定期券も発行できることとした。さらに、文科省は2005年、「自宅でのインターネットやFAXを使った勉強も学校の出席にみなす」との通達を出し、新しい学びの場を提供しようとしているフリースクールはやっとその存在を認められるようになった。

　ただし、「フリースクール」という名称を使っていても、性格が違うことがあるので注意が必要だ。現状では、不登校児を受け入れているあらゆる団体が「フリースクール」と呼ばれる。「学校以外の学びの場・居場所」を提供するフリースクールもあれば、学校に戻すためのフリースクール（公立の「適応指導教室」などもこのカテゴリー）、学習塾など勉強中心のフリースクールなどさまざまで、目的に合ったフリースクールをまず「選ぶ」ことが重要になる。

フリースクールでの授業と卒業後

　教育内容は基本的にそれぞれの学校により自由に考えられている。通常の教科学習やスポーツなどを軸に授業が行われることが多い。他に、料理、野菜作り、仕事体験、大工作業、演劇、音楽、作文、映像制作、ゲームや遊戯など、さまざまな「体験」が用意されている。学校と同じような学習を、学校のカリキュラムとは違う独自のやり

方でやっているというところもあり、「オルタナティブスクール」と呼ばれている。

　ほとんどのフリースクールには行政の認可がないが、フリースクールの草分けである東京シューレが2007年に新設した葛飾中学校だけは、正規の教育機関として卒業資格を出すことができる。

　卒業後は、高校や専門学校、職業訓練校、大学（高卒認定試験を受けることが必要）などに進学する者もいれば、就職をする者もいる。卒業後に自分の進路を発見し職業と出会ってサバイバルしている子どもも大勢いる。

フリースクールの費用と入学の注意

　フリースクールの経営は、一部のNPO法人を除いてほとんどが個人や非営利団体であり、国や地方公共団体からの公的支援を受ける施設は少ない。そのため、普通の学校と比べて、一般的に授業料は高い。たとえば東京シューレの場合、会費が月額45,000円かかり、年間だと540,000円だ。また入会金として153,000円が必要になる。

　保護者の経済的な負担が大きくなりがちだが、公的な支援がほとんどない中で運営されているので、やむを得ないところがある。現在一部のフリースクールでは市民団体や企業と協力するなどの努力をしている。通い方は生徒の自由であるため、日割りで授業料を払うところもある。

　ただし最近は、社会的にフリースクールが認知されつつあるのを利用して、保護者をだまそうとする悪質な業者もいるので、注意が必要である。フリースクールのネットワーク団体としては、NPO法人フリースクール全国ネットワークがあり、電話相談や相談会などを行っている。方針や形態は各フリースクールによって違うので、充分なリサーチが不可欠になる。また、最近では家を拠点に個性や可能性を伸ばす方法も認知されつつあり、それらは「ホームエデュケーション」と呼ばれている。

　NPO法人フリースクール全国ネットワークに加盟している団体は49団体。
（参考HP：http://www.freeschoolnetwork.jp/）

北海道：
NPO法人　フリースクール札幌自由が丘学園
訪問型フリースクール漂流教室
NPO法人　フリースクールさとぽろ
スクールさぽーとネットワーク
ひびきの村　ラファエルスクール

東北：
まきばフリースクール
NPO法人　寺子屋方丈舎
NPO法人　フリースクール　ビーンズふくしま

関東：
東京YMCA "liby"
フレネ自由教育　フリースクールジャパンフレネ
NPO法人　東京シューレ
東京シューレ学園　東京シューレ葛飾中学校
フリースクール僕んち
人の泉　オープンスペース "Be！"
フリースクール＠なります
ポケットフリースクール
NPO法人　越谷らるご　フリースクールりんごの木
NPO法人　ネモちば不登校・ひきこもりネットワーク
フリースクールJAT
したいなぁ～松戸
フリースクールあおば
のむぎO.C.S
フリースペース大船

北陸：
じゃがいも
NPO法人　国際フリースクールI CAN
新潟登校拒否の居場所づくりの会「こどものフリースペースにいがた」
NPO法人　フリースクールP&T新潟校
一般社団法人　葵学園
フリースクールWILLBE

甲信・東海：
フリースクールKid's
地球の子どもの家　生涯学習センター
フリースクール佐久
NPO法人　ドリーム・フィールド
NPO法人　フリースクール三重シューレ

関西：
NPO法人　夢街道国際交流子ども館
NPO法人　フォロ
NPO法人　フリースクールみなも
神戸フリースクール
NPO法人　フリースクールFor Life

中国・四国：
フリースペース　てらこやおひさま
NPO法人　コミュニティーリーダーひゅーるぽん
コミュニティほっとスペース「じゃんけんぽん」
NPO法人　YCスタジオ
NPO法人　Nest　（旧フリースクール下関）
NPO法人　フリースクールAUC
フリースクール「ヒューマン・ハーバー」

九州：
子どもの居場所　ハッピービバーク
NPO法人　フリースクール地球子屋
NPO法人　フリースクール　クレイン・ハーバー
NPO法人　珊瑚舎スコーレ

進路 | # 高等学校卒業認定試験
（旧大学入学資格検定）

　高等学校卒業認定試験に合格すると、「高卒者と同等以上の学力を有する」ことが認定される。中卒者、高校中途退学者、あるいは一部の外国籍の人にとって、進学、就職、資格試験など、高卒資格を求められる際には、絶対的に必要となる。

貴重な関門

　この試験の合格者は、国公私立のどの大学、短大、専門学校でも受験できるほか、公務員試験や多くの各種国家試験の受験資格を得ることができる。かつては「大検」という名称で知られていたが、イメージはよくなかった。不登校児、高校退学者、それに収監者など、「脱落者」のための試験というイメージがつきまとっていた。だが、高校を卒業すれば自動的に大学入試の受験資格が得られる日本とは違って、西ヨーロッパの先進国のなかには、「大学入学資格試験」が必須のものとして、教育システムの中に組み入れられているところもある。

　有名なのは、フランスのバカロレアだろう。バカロレアとは、高等学校卒業資格試験である。フランスでは、大学への入学資格は「高等学校を卒業していること」だけで、通常大学入試はない。バカロレアは高等学校側が準備する。ドイツには13年間教育のギムナジウムという学校制度があり、アビトゥーアと呼ばれる卒業・大学入学資格試験がある。もちろんバカロレアもアビトゥーアも高校中退者を対象にしたものではないが、「大学に行く資格を得る」という意味では、日本の大学入試よりも「高卒認定試験」のほうに近い。

　だから、何らかの理由で高校に行けなかった生徒、中退してしまった生徒は、「自分は脱落者だからせめて認定試験でも受けるか」という後ろ向きの気持ちではなく、どちらかと言えば国際的にはこっちのほうが普通なんだというようなポジティブな気持ちで、堂々と高卒認定を手に入れてもらいたい。

旧大検との違い

　旧大検との大きな違いは、試験科目が減ったこと、学校長の許可があれば全日制高等学校に在籍中でも受験できるようになったことだ。そのため、病欠や不登校で出席数が足りずに単位取得ができていない場合などは、高卒認定試験の科目合格で代用することができる。どの科目を単位認定してもらえるかは、学校によって異なるが、逆に、一部の科目の試験に合格し、不合格となった残りの科目を高等学校で修得した場合も、高卒認定試験の合格者として扱われる。

　高卒認定はあくまで「高卒者と同等以上の学力を有することを認定する」ものであり、「高卒資格を取得する」ものではないため、高卒認定試験に合格しただけでは、学歴は高卒とはならない。だが、そんなことは関係ない。この貴重な関門を抜ければ、短大や大学、それに専門学校の受験資格を得られるのだ。

受験資格と合格点

　高卒認定試験は、受験年度の3月31日までに満16歳以上になる、高校を卒業していない人であれば、誰でも受験できる。試験は全ての都道府県で行われているが、必ずしも本籍地や現住所のある都道府県で受験をする必要はない。身体に障害を持っている人には、その程度に応じて別室での受験、点字による解答、試験時間の延長などの特別措置が取られる。

　合格者に定員はなく、学力が一定の基準に達していると認められた人は、人数に限りなく合格者となる（合格最低点は公表されていないが、各科目とも100点満点で40点から45点だと言われている）。合格発表は、約1ヶ月後に簡易書留による郵送で通知され、合格者には合格証書が、科目合格者には科目合格通知書が送付される。

　平成19年度からは、文部省と法務省が連携し、少年院や刑事施設などの矯正施設内においても高卒認定試験を実施することになったため、それらの施設に収容されている人にも、高卒認定試験への道が開かれた。

受験科目と難易度

　試験科目は、国語（必修）、地理歴史（世界史A・Bのうち1科目及び、日本史A・Bと地理A・Bからどれか1科目が必修）、公民（現代社会1科目または倫理、政治・経済の2科目どちらかが必修）、数学（必修）、理科（理科総合、物理、化学、生物、地学の5科目のうち2科目必修）、外国語（英語必修）の6教科8科目（倫理、政治・経済を選択した場合は9科目）。

　試験は1科目50分で、マークシート形式で行われる。既に合格している科目を再度受験することや、合格に必要な科目数を超えて受験することはできない。試験問題は高校の教科書の範囲内で出題される。

　以下に、国語の問題の一部を紹介する。

（ア）〜（オ）の漢字の正しい読みを次の各群の①から⑤のうちからそれぞれ1つ選べ。

（ア）占める　①た（める）　②し（める）　③は（める）　④かた（める）　⑤おさ（める）
（イ）振幅　　①はんぷく　②せんぷく　③くっぷく　④ぜんぷく　⑤しんぷく
（ウ）揺れる　①ゆ（れる）　②あ（れる）　③ふ（れる）　④みだ（れる）　⑤なが（れる）
（エ）搭乗　　①そうじょう　②せんじょう　③さんじょう　④とうじょう　⑤ごうじょう
（オ）抱擁　　①おうよう　②かいよう　③ほうよう　④ていちょう　⑤どうちょう

　これだけで高卒認定試験の難易度を測るのは乱暴かも知れない。だが、4割の点数が目安だとすると、上記5問中、2問正解できれば、とりあえずは可能性があることになる。もともとこの試験は、競争させて合格者を選別するというより、より多くの人にチャンスを与えるためのもので、難易度はそれほど高くない。ただし、長い間勉強から遠ざかっていた生徒は、高校の教科書を中心に、集中して取り組まなければいけないだろう。

受験にかかる費用

　7科目以上9科目以下の受験には8500円、4科目以上6科目以下の受験には6500円、3科目以下の受験には4500円の受験料がかかる。

　試験は年に2回（8月と11月）行われ、第1回試験で合格した科目は第2回試験では免除されるため、第1回試験で合格していない残りの科目を、第2回試験で受験して合格することもできる。同様に、次年度以降に繰り越して受験することも可能である。

進路 | 大学

日本の教育における「最高学府」。現在、高卒者の約半数が大学（短大を含む）に進学する。しかし、なかには定員割れで経営難に陥る大学もある。どういった学問を何のために学ぶのか、という問いが今後重要性を増す。

学問を修めるところ

　大学では、高等教育が行われる。つまり大学は、本質的には学問を修める高等教育施設であって、職業を確保するためのものではない。大学の法学部を卒業すれば弁護士になれるわけではない。国が行う司法試験を受けて合格しなければいけない。医学部や看護学部にしても、国家試験の受験資格が得られるだけで、自動的に医師や看護師になれるわけではない。学問は、「体系化された専門的な知識」を学ぶことであり、ある職業に就くためだけのものではない。

　たとえば、薬剤師になるためには、大学の薬学部で学ぶことが必要だ。だが、薬学部の卒業生がすべて薬剤師になるわけではない。製薬会社の研究開発や営業職、公害防止管理者、環境計量士、作業環境測定士、毒物劇物取扱責任者、衛生管理者、薬事監視員、麻薬管理者、食品衛生監視員、医薬部外品・化粧品・医療用器具等の製造所の責任技術者など、卒業生の進路は薬剤師だけではなく、広範囲にわたっている。薬と毒の作用には共通点が多いことから毒物学者になる人もいる。つまり、薬学という学問は、単純に「薬剤師」と直結しているわけではない。

　薬学の例を見てもわかる通り、学問は、職業よりもはるかに広大な領域と可能性を持っている。学問は、言語の誕生、あるいは農耕の誕生とともに体系化されていったと言われている。土地を測量し、商品を売買し、品種を発見・改良し、天候を予測することが必要となって、わたしたちをとりまく森羅万象を解明しようという試みがはじまった。

学問の分類

　学問は、「人文・社会科学と自然科学」「基礎科学と応用科学」「理数系と文系」など、さまざまな分類がある。もっとも一般的なのは、以下のような区分けである。

人文科学

　外国語、日本・外国文学、言語学、考古学、人文地理、心理学、地域研究、哲学、美学、文化人類学、歴史学、宗教学

社会科学

　経営学、経済学、教育学、国際学、コミュニケーション学、社会学、商学、福祉学、法学、マスコミ・メディア、観光学

理学
天文学（宇宙科学）、化学、自然地理学、情報科学、自然人類学、数学、生命科学、生物学、地球科学、物理学

工学
医用生体工学、応用物理・基礎工学、核融合・原子力工学、画像・音響工学、機械工学、経営工学、建築工学、材料工学、資源・エネルギー工学、情報工学、生産・システム工学、船舶・航空宇宙工学、通信工学、電気・電子工学、都市工学、土木工学

農学
水産学、獣医・畜産学、農学、農芸化学、農業経済学、農業工学、林学

保健
医学、看護学、公衆衛生学、歯学、神経科学、スポーツ・健康科学、薬学、医療事務・医療経済学、リハビリ・放射線検査など医療技術

家政
家政学、生活科学、食物学、児童学、住居学、被服学

芸術
音楽、美術、デザイン

総合・新領域
環境（工学系、社会学系、理学系）、情報（人文学系、コンピュータ系、社会系、生命系）、人間（身体系、社会学系、人文学系）、国際（人文学系、法律系、政治学系、経済学系）

大学・学部学科を選ぶ

　職業に直結している専門学校と違って、大学は、医療系の学部など一部を除けば、学部・学科ではなく、大学名で選んでしまう人が多い。将来どんな職業に就きたいのか、どの分野に興味があるのか、ではなく、東大や慶応や早稲田など、偏差値が上位の有名大学だったら学部・学科は何でもいいというような人も大勢いる。

　また、東大法学部を目指す人のなかには、法律家ではなく官僚になりたい人もいる。たとえば早稲田の政治経済学部に行きたかったけれど、落ちたので慶応の独文科に

行ったというような人もいる。卒業後、英文科出身なのに英語ができない人、経済学部を出てまったく経済のことがわからない人、商学部を出ても経営や商売とは無縁の仕事に就く人も、大勢いる。何を勉強するかではなく、いかにして偏差値の高い上位校に入り、一流といわれる企業・官庁に就職するかがいまだに重要視されている。

　大学は、興味がある分野を選び、何を勉強するかを決めて、学部・学科で選ぶのが理想的だ。しかし、そういう人はいまだにごく少数だろう。ロボット工学とか、政治とか、介護とか、教育とか、興味がある分野を自分で把握している人は、シンプルに、学部・学科で大学を選ぶだろうが、おそらく大部分はそうではない。しかも、現在、とくに文系で、学部・学科はおそろしく細分化していて、わかりにくいところがある。

　以下に、「人間」という単語がついた学部・学科を記す。

- 環境人間学部（兵庫県立大学）
- 教育人間科学部（横浜国立大学、山梨大学、青山学院大学など）
- 総合人間学部（京都大学、山陽学園大学など）
- 総合人間科学部（上智大学）
- 人間学部（名城大学、文京学院大学など）
- 人間科学部（早稲田大学、大阪大学、神奈川大学、文教大学など）
- 人間環境学部（法政大学、関東学院大学、兵庫県立大学など）
- 人間関係学部（椙山女学園大学、大妻女子大学、和光大学など）
- 人間看護学部（滋賀県立大学）
- 人間健康学部（東海学園大学、八戸大学、松本大学など）
- 人間社会学部（大阪府立大学、実践女子大学、昭和女子大学など）
- 人間情報学部（愛知淑徳大学）
- 人間生活学部（徳島文理大学、十文字学園女子大学、岡山学院大学など）
- 人間文化学部（滋賀県立大学、京都学園大学など）
- 人間言語学科（広島文教女子大学）
- 人間心理学科（神戸学院大学、江戸川大学、相愛大学など）
- 人間発達心理学科（十文字学園女子大学）
- 心理人間学科（南山大学）
- 人間学科（玉川大学、創価大学など）
- 人間関係学科（天理大学、広島修道大学、活水女子大学など）
- 人間科学科（神奈川大学、大阪府立大学、名古屋市立大学など）
- 人間形成学科（神戸大学、福岡県立大学など）
- 人間表現学科（神戸大学）
- 人間環境学科（神戸大学、恵泉女学園大学、淑徳大学など）
- 人間発達学科（名古屋大学、聖トマス大学など）
- 人間教育学科（甲南女子大学）
- 人間行動学科（神戸大学、大阪市立大学など）
- 人間社会学科（大阪大谷大学、明星大学など）
- 人間社会科学科（お茶の水女子大学）
- 人間・社会文化学科（広島女子学院大学）
- 総合人間学科（熊本大学）
- 人間情報科学科（早稲田大学）

- 人間情報学科（岡山学院大学、愛知淑徳大学など）
- 人間環境科学科（早稲田大学など）
- 人間発達学科（九州女子大学、中村学園大学など）
- 人間福祉学科（文京学院大学、聖学院大学など）
- 人間文化学科（高知大学、山形大学、宮城学院女子大学など）
- 人間環境マネジメント学科（名古屋産業大学）
- 人間福祉情報学科（日本福祉大学）
- 環境人間学科（兵庫県立大学）
- 人間・機械工学科（金沢大学）
- 人間情報システム工学科（岐阜大学）

- 人間コミュニケーション学科（電気通信大学）
- 人間環境デザイン学科（東洋大学、東北文化学園大学など）
- 福祉人間工学科（新潟大学）
- 人間看護学科（園田学園女子大学、滋賀県立大学など）
- 人間健康学科（東海学園大学、八戸大学など）
- 人間健康科学科（京都大学、大阪国際大学など）
- 人間生活学科（藤女子大学、同志社女子大学など）
- 人間栄養学科（中国学園大学、広島文教女子大学など）
- 人間・環境科学科（お茶の水女子大学）

次に「情報」という単語がついた学部・学科を紹介する。

- 英語情報マネジメント学部（秀明大学）
- 情報マネジメント学部（産業能率大学）
- 環境情報学部（慶応義塾大学SFC、東京都市大学など）
- 経営情報学部（摂南大学、多摩大学、山梨学院大学など）
- 現代経営情報学部（大阪成蹊大学）
- 経済情報学部（兵庫大学、尾道大学、東日本国際大学など）
- 芸術情報学部（尚美学園大学）
- 国際情報学部（県立長崎シーボルト大学など）
- 国際食料情報学部（東京農業大学）
- 産業情報学部（沖縄国際大学）
- システム情報科学部（公立はこだて未来大学）
- 社会情報学部（群馬大学、青山学院大学、大妻女子大学、札幌学院大学など）

- 情報学部（静岡大学、文教大学など）
- 情報科学部（大阪工業大学、法政大学、愛知県立大学など）
- 情報環境学部（東京電機大学）
- 情報工学部（九州工業大学、岡山県立大学、福岡工業大学など）
- 情報コミュニケーション学部（明治大学、筑波学院大学）
- 情報社会科学部（日本福祉大学）
- 情報デザイン工学部（東海大学）
- 情報文化学部（名古屋大学、名古屋文理大学など）
- 情報メディア学部（稚内北星学園大学）
- 情報理工学部（立命館大学、中京大学、東海大学）
- 政策情報学部（千葉商科大学）
- 総合情報学部（関西大学、東洋大学など）

- ソフトウェア情報学部（岩手県立大学、青森大学）
- 都市情報学部（名城大学）
- 人間情報学部（愛知淑徳大学）
- ネットワーク情報学部（専修大学）
- ビジネス情報学部（上武大学）
- 文化情報学部（同志社大学、椙山女学園大学など）
- 流通情報学部（流通経済大学）
- 心理情報学科（金沢工業大学）
- 人間情報科学科（早稲田大学）
- 英語情報学科（長崎純心大学）
- 人文情報学科（大谷大学）
- 人間情報学科（岡山学院大学、信州大学）
- メディア情報文化学科（福山大学）
- コミュニケーション情報学科（熊本大学）
- メディア情報学科（立命館大学、金沢工業大学）
- 情報文化学科（金城学院大学、江戸川大学、新潟国際情報大学など）
- 図書館情報学科（愛知淑徳大学）
- 文化情報学科（同志社大学、東京家政学院大学など）
- デザイン情報学科（武蔵野美術大学、和歌山大学）
- 情報表現学科（尚美学園大学）
- 情報デザイン学科（多摩美術大学、工学院大学、京都造形芸術大学）
- 芸術情報学科（宝塚造形芸術大学）
- 消費情報環境法学科（明治学院大学）
- 経済情報学科（鹿児島大学、尾道大学）
- 会計情報学科（滋賀大学）
- 会計・情報学科（横浜国立大学）
- 国際ビジネス情報学科（日本大学）
- 情報ビジネスコミュニケーション学科（名古屋学院大学）
- 産業情報学科（筑波技術大学、長野大学）
- 企業情報学科（大阪学院大学、長野大学）
- 情報管理学科（朝日大学、滋賀大学）
- 情報ビジネス学科（東京情報大学、中国短期大学）
- ビジネス情報学科（広島経済大学、愛知学院大学）
- 経営情報学科（諏訪東京理科大学、北星学園大学、文教大学など）
- 情報科学科（東京大学、東邦大学、奈良女子大学など）
- 情報学科（近畿大学、京都大学）
- システム情報学科（北海道情報大学）
- ネットワーク情報学科（専修大学）
- 情報ネットワーク学科（千葉工業大学、九州情報大学）
- 総合情報学科（電気通信大学、東洋大学）
- 福祉情報学科（徳山大学）
- 情報福祉学科（東北福祉大学）
- 社会システム情報学科（名古屋大学）
- 産業情報学科（筑波技術大学、沖縄国際大学）
- 国際産業情報学科（麗澤大学）
- 社会情報学科（岡山理科大学、青山学院大学、十文字学園女子大学など）
- 国際情報学科（静岡産業大学）
- 情報システム学科（立命館大学、東海大学）
- 情報メディア学科（東京電機大学、武庫川女子大学、同志社女子大学）
- 情報社会学科（東京電機大学、静岡大学）
- 情報コミュニケーション学科（立命館大学、川村学園女子大学）
- 地域情報科学科（愛知県立大学）
- 政策情報学科（千葉商科大学）
- 都市情報学科（名城大学）
- 環境情報学科（東京都市大学）
- 環境・情報科学科（京都府立大学）
- 生活環境情報学科（日本福祉大学）
- 環境情報ビジネス学科（名古屋産業大学）
- 情報環境学科（東京電機大学）
- 人間福祉情報学科（日本福祉大学）
- 情報社会政策学科（愛知学院大学）
- 知能情報学科（立命館大学、長崎総合科学大学）
- 情報数理科学科（大阪府立大学）
- 情報数理学科（千葉大学、東海大学）
- 数学・情報数理学科（千葉大学）
- 自然情報学科（名古屋大学）
- 数理・自然情報科学科（信州大学）
- 数理情報学科（龍谷大学）
- 数理情報科学科（東京理科大学、鹿児島大学）
- 数理・情報システム学科（島根大学）
- 情報システム解析学科（日本大学）
- 生物情報科学科（東京大学、大阪府立大学）
- 機械情報工学科（東京大学、明治大学、中京大学など）
- 情報機械システム工学科（広島市立大学）
- 機械情報技術学科（八戸工業大学）
- 電気情報システム工学科（大阪府立大学）
- 応用情報学科（岐阜大学）
- 情報処理工学科（福山大学、産業技術短期大学）
- 情報通信工学科（電気通信大学、東京電機大学）
- 情報通信学科（南山大学、広島国際大学）
- 情報通信システム学科（和歌山大学）
- 情報工学科（信州大学、琉球大学、東京工業大学など）
- 流通情報工学科（東京海洋大学）
- 情報エレクトロニクス学科（北海道大学）
- 応用情報工学科（法政大学）
- 人間情報システム工学科（岐阜大学）
- 電子情報学科（龍谷大学、法政大学）
- 電子情報デザイン学科（立命館大学）
- 情報テクノロジー学科（青山学院大学）
- ソフトウェア情報学科（青森大学）
- 電子情報工学科（横浜国立大学、九州工業大学など）
- 電気情報工学科（九州大学、九州産業大学など）
- 電気・情報生命工学科（早稲田大学）
- 電気電子・情報工学科（名古屋大学）
- 電気電子情報工学科（千葉工業大学、東京理科大学など）
- 情報電気電子工学科（熊本大学、法政大学）
- 電子情報電気工学科（兵庫県立大学）
- 情報電子工学科（新潟工科大学、石巻専修大学）
- 電気電子情報通信工学科（中央大学）
- 電子情報通信工学科（大阪工業大学）
- 電子情報システム学科（芝浦工業大学、秋田県立大学）
- システム電子情報学科（東京工芸大学）
- システム情報工学科（足利工業大学）
- 情報システム工学科（中京大学）
- システム創成情報工学科（九州工業大学）
- 信頼性情報システム工学科（香川大学）

- 知的情報システム学科（広島工業大学）
- メディア情報学科（立命館大学、金沢工業大学）
- 情報画像学科（千葉大学）
- 情報・メディア工学科（福井大学）
- 情報ネット・メディア工学科（関東学院大学）
- メディア情報システム学科（帝京科学大学）
- 環境情報工学科（東北工業大学）
- 情報ネットワーク学科（千葉工業大学、九州情報大学）
- 情報ネットワーク工学科（北海道工業大学、久留米工業大学）
- 情報アーキテクチャ学科（公立はこだて未来大学）
- 情報システムデザイン学科（同志社大学）
- 芸術情報設計学科（九州大学）
- 情報知能工学科（神戸大学）
- 知能情報工学科（大阪府立大学、徳島大学など）
- 知能情報システム学科（佐賀大学、東北文化学園大学）
- 知能情報システム工学科（大分大学、広島市立大学）
- 情報知能システム総合学科（東北大学）
- 電子光情報工学科（立命館大学）
- 物理情報工学科（慶應義塾大学、成蹊大学）
- 数理情報工学科（日本大学）
- 生命情報学科（慶應義塾大学、前橋工科大学など）
- 生命情報工学科（九州工業大学、創価大学）
- 情報経営学科（金沢工業大学）
- 経営情報科学科（千葉工業大学）
- 流通情報工学科（東京海洋大学）
- 放射線・情報科学科（国際医療福祉大学）
- 医療情報学科（東京医療保健大学、川崎医療福祉大学など）
- 医用情報工学科（鈴鹿医療科学大学）
- 生活デザイン・情報学科（広島女学院大学）

　この数を、どう考えればいいのだろうか。「人間」と「情報」は現代社会のキーワードだから、学ぶことがたくさんあるのだろう。そしてきっと各大学は、魅力的な学部・学科を開設して多くの学生に最先端の学問を提供したいと思っているのだろう。人間・情報に限らず、他の学部・学科にも、非常に多くの種類がある。昔に比べると、学問は高度化・細分化しているから、ある程度はやむを得ないのかも知れないし、各大学のHPやパンフレットを見れば、詳しい内容がきっとわかるのかも知れない。だが、学部・学科で大学を選ぶと決めている人も、この数と、種類を目にしたら、迷ってしまうのではないだろうか。

　今から述べることは、大学の選び方ではない。また大学に限ったことではなく、高校や専門学校、それに会社への就職にも言えることだ。学校や会社に入ったあと、「これこそが自分にぴったりの学校・会社だ」と思える人は幸福だが、そういう人は少ない。ほとんど誰もが、「ここは自分には向かないのではないか」「自分は選び方を間違えたのではないか」「もっと他に自分に向いた学校や会社があるのではないか」というように、悩むものだ。

　そのときに、試してもらいたいことがある。その学校・会社の「いいところを探す」のだ。昔、中学校のころ、父親の仕事の関係で転校を繰り返す子と友だちになった。転校はものすごいストレスだ。誰も友だちがいないところで、よそ者として、一から人間関係を築いていかなければならない。いじめられたり、無視されたりすることも多い。その子は、何度もイヤな思いをしてやっと転校のコツをつかんだと言った。それは、新しく転校した学校やクラスメート、街などの「いいところを探す」ことだった。

　探せば、どんな学校にも街にも、必ずいいところがある、と彼は言った。

「悪いところが一つもないという、完璧な学校や街なんかないのと同じように、いいところが一つもない学校や街もない。大事なのは、『探す』ことだと、あるとき気づいた。悪いところは、たとえばいじめっ子とか、探さなくても向こうからやって来る。でも、いいところは、探さないと見つからないことが多い。どこかいいところはないか探してみようという気持ちを持つだけで、今日はあの子に話しかけてみようとか、今日はちょっとだけ遠くまで歩いてみようとか、積極的になれる」

わたしたちは、新しい環境に入っていくとき、多大なストレスを感じるから、つい自分にはそぐわないところばかり見てしまう。イヤなものや、嫌いなもの、それに足りないものばかりが目について、それがさらにストレスになる。いいところを探すのは簡単ではない。面倒くさいし、失敗することもある。だが、友だちの転校生が言う通り、いいところは「探さないと」見えてこないことが多いのだ。誤解のないようにしてほしいが、いいところを探すというのは、我慢するのとは違う。耐えるわけではない。学校や会社を無理に好きになることでもない、だいいち、人間は何かをむりやり好きになることなどできない。

あれもこれも、あいつもこいつもまったく気に入らないが、ひょっとしたら他に何かいいところがあるかも知れない、とポジティブに考えて、周囲を探すのだ。そして、徹底的に探してみて本当に何もなかったら辞めてしまえばいいや、というような明るい気持ちで、新しい環境を見直すことを勧めたい。探せば必ず何か見つかるとは限らない。だが、探さないと、絶対に何も見つかりはしないのだ。

学問の世界は広大で、果てしない可能性がある。だが、学問は、職業に直結していないことをまず自覚してほしい。そして、現在確立されている学問には、すべて学ぶ価値があり、それが直接就職や生活に役立たなくても、知識や技術を得ていくことそのものに喜びがあることも知ってもらいたい。

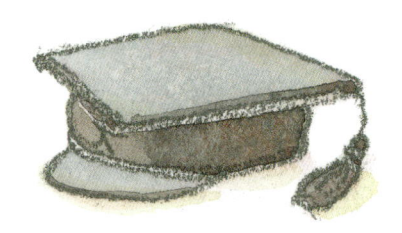

進路 | # 大学院

　大学院は、大学（短期大学を除く）を卒業した人が、さらに専門的な研究を進めるための教育機関。いくつかの課程があり、「修士」「博士」といった学位を得ることができる。本来的に、専門的な研究をするところであり、一部の学部を除いては、大学院を修了しても就職に有利とは言えない状況が続いている。

大学の学部課程の上に設けられ、大学を卒業した人が、更に専門的な研究を進めるところ。大学院に通う学生は、「院生」と呼ばれることが多い。大学院は通常、履修年限2年の「修士課程」と履修年限3年の「博士課程」に分かれ、授業を受けながら研究に従事し、論文を書く。そしてそれぞれの課程を修了した際には、「修士」と「博士」の学位が与えられる。

　修士課程に進めるのは、大学の学部を卒業し、大学院の入試に合格した人。博士課程に進めるのは、修士課程を修了し、同じく入試に合格した人だが、学部卒業や修士修了に相当する学力があると認められた場合には、受験資格が与えられることもある。試験は、専門科目についての論述試験と外国語、そして面接が課されるのが一般的だが、その内容はさまざまだ。

　大学院を修了した人は、大学か国の研究機関に所属し、講師になったり、研究者として更なる研究にあたったり、民間の企業に就職をする。ただ、研究機関の募集はそれほど多くはないため、正規雇用に就くのはとても難しく、いつまでたっても職に就けないポストドクター（博士号を取ったばかりの研究者）が増えてしまっていることが問題になっている。また、民間企業に就職を希望する場合も、企業から見てよほど価値のある研究をしていた学生以外は就職に苦労をすることが多く、大学卒業時に就職活動に失敗して大学院に進学したものの、二度目の就職活動にも失敗し、結局フリーターやニートになる、という学生も少なくはない。明確な意識を持って学問を探究しようとしている学生以外は、容易に大学院に進学しても、かえって自分の首を絞めることになるかも知れない。

　一方で、2003年に、特定の職業分野に関して更に高度な教育を行うため、専門職大学院が開設された。専門職大学院は、研究が中心だった従来の大学院と比べ、専門的な職業能力を持つ人材を育成するための大学院で、将来の法曹（弁護士、裁判官、判事）人口拡大の要請に応えるために新しい法曹養成制度として導入された法科大学院や、実践的指導能力を備えた教員を養成するための教職大学院などが、その代表だ。

　法科大学院の課程を修了すると、法務博士の学位が授与されるとともに、新司法試験の受験資格が与えられる。そのため、法曹を目指す人は、法科大学院を修了していることが原則として必要となり、法科大学院には大きな関心が集まっている。

　他には、ビジネス、会計、公共政策、原子力などさまざまな分野の専門職大学院が開設されていて、時代が変わるとともに大学院も変化を遂げている。

進路 | 専門学校

専門学校には、看護や介護など医療・福祉系、ファッション、アニメまで多数の学科がある。ほとんどの学科は、仕事・職業に直結しているので、その選択が非常に重要となる。

授業と課題

　モード学園の谷まさる学長は、専門学校で重要なことはたった二つしかないと言っている。授業に出ること、課題を提出すること、の二つだ。授業に出てこないのは話にならないし、課題の制作・提出をサボったりして実力がつくわけがない。逆にその二つさえできれば、社会に出て働くときに必要な最低限の知識と技術と精神力は身につく、ということらしい。非常にわかりやすい。ただし、モード学園の、たとえばファッション系の学科では1年間に約200の課題が出される。半端な数ではない。2日間で一つの課題をこなしても間に合わない。

学科をイメージする

　興味がある分野、自分に向いた学科がわからないとき、「年間に200個の課題」をイメージしてみることを勧めたい。年間200個の課題を制作しても飽きないか、イヤにならないか、を考える。アート・ファッション系以外では、課題ではなく、「実習」をイメージする。工業関係では自動車やロボットやコンピュータ画面や製図板、医療系では病院・病室・患者、介護の場合は寝たきりの老人たち、ビジネス系では顧客や上司とのやりとり、語学系では膨大な翻訳書類や外国人との会話など、それらと毎日毎日、眠るヒマもないほど長時間付き合う自分をイメージする。

　飽きたり、イヤにならない自分を発見できれば、その学科はあなたに向いているかも知れない。ただし、表面だけをイメージしては意味がない。介護の場合は、老人たちの排泄や入浴の世話、痰の吸入、身体を支えての体位変換、そういったこともイメージする。看護師や救命救急では血まみれの患者や外科手術をイメージする。教育では、言うことを聞かなくて泣き続ける幼児を、農業では炎天下の草取りや寒風の中の収穫をイメージする。そして、飽きないだろうか、興味を失わないだろうか、イヤにならないだろうか、と正直に自らに聞いてみるのだ。

専門学校の歴史と現状

　専門学校というのは通称で、正確には専修学校という。専修学校は、職業能力を育成するための実践的な教育を行う職業教育機関として1976年に誕生した。専修学校は、入学資格の違いから三つの課程に分けられる。高校卒業程度を対象とする専門課程、中学卒業程度を対象とする高等課程、入学資格を問わない一般課程である。一般的に専門学校とは、専門課程を指す。

　専門学校の入学者数は2003年の33万人をピークに減少し、2008年は25万人だ。高卒者の専門学校進学率が減少している。少子化に加え、大学の「専門学校化」も一因となっているようだ。分野別に見ると、医療関係が約3割を占め、次いで工業・農業、栄養・調理、ビジネス・語学、教育・福祉、ファッション、美容、デザイン、マスコミ、スポーツ、芸術の順になっている。専門学校の特色でもある職業に直結した学科に根強い人気がある。

授業料とカリキュラム

　授業料については、全学部の平均は、昼間部で120万円となっており、1年間で見ると私立大学へ通うのとほとんど変わらない金額となっている。入学金や授業料の他に、施設設備費や実習費などが合算されるため、思いのほか高額となっている場合もある。鍼灸・マッサージ指圧や製菓、臨床検査・診療放射線などの授業料が高く、看護や服飾・家政などは比較的安くすむ。

　授業内容についても、卒業後に即戦力となるよう実践的なカリキュラムが組まれている。修業期間は、医療系などを中心に3～4年間とするところもあるが、多くは2年間となっている。2年間の総授業時間数1800～2400時間のうち、8割以上が専門科目の講義や実習で、学科によっては実習が3分の2を占めるものもある。

　また、専門職には資格が必要となるものが多く、資格取得のための受験指導も柱の一つとして、授業内容にも反映されている。専門学校での資格取得については、卒業により取得できるもの、卒業により受験資格が得られるもの、卒業により試験の一部が免除になるもの、卒業後の実務経験を経て取得できるものなど、さまざまだ。学科によっては、専門職に関わる複数の資格取得が可能となるなど、専門学校の大きなメリットといえる。

　就職については、就職希望者の就職率は8割近い。特に医療関係ではおよそ9割という高い就職率を誇っている。一方で、芸術・文化関係では厳しい。専門学校は、基本的に、職業に直結した国家資格や技術の取得を目的としている。そのため、学科の選択は、そのまま職業の選択にも繋がるものとなる。「とりあえず」で決めることのできない、大きな選択であることを自覚する必要がある。

47

専門学校学科分類ツリー図

工業
- 製図・トレース
- 建築設計
- 土木
- インテリア
- 電気・電子・通信
- コンピュータ
- ボイラー
- 環境システム
- 設備
- ビル管理
- バイオテクノロジー・化学
- 機械
- メカトロニクス
- 溶接
- 眼鏡
- 時計
- 楽器
- 印刷
- 航空
- 船舶
- 自動車整備

農業・環境
- 園芸
- 環境
- 水産
- 農業・畜産

教育・福祉
- 介護福祉
- 社会福祉
- 保育
- 幼児教育
- 教員養成

医療
- 歯科衛生士
- 歯科技工士
- 歯科助手
- リハビリテーション
- 臨床診療放射線
- 鍼灸
- マッサージ
- 柔道整復
- 整体・気
- 医療秘書
- 医療事務
- 病院管理
- 薬事
- 看護
- 助産
- 保健
- 救命救急

栄養調理分野
- 調理
- 栄養
- 製菓
- その他

理容・美容

- 理容
- 美容
- トータルビューティー

ファッション・家政

- 編み物
- 手芸
- 服飾デザイン
- スタイリスト
- 裁縫
- 家政
- アクセサリー
- 小物
- 工芸

芸術・文化 その他

- 美術
- 音楽
- 芸能
- ダンス
- 演劇
- フラワーデザイン
- 茶道
- 華道
- 書道
- アニメ
- ゲーム
- イラスト
- 文化
- ペット
- スポーツ
- デザイン
- マスコミ
- 広告
- 編集
- 放送
- 音響
- 写真
- 映像

ビジネス・実務・語学

- 外国語
- 日本語
- 通訳
- 翻訳
- 語学
- ビジネス
- 情報処理
- 会計
- 簿記
- 観光
- 航空
- ホテルなどサービス
- 法律
- 不動産
- 公務員
- オフィス実務

専門学校学科一覧

工業

工業関係で働く技術者を養成している。男性の比率が高く、自動車整備で98.4％、機械では99.1％を占める。学科は多いが目指す職業は明解であり、卒業と同時に資格受験資格を得られたり、資格が取得できるカリキュラムを組んでいる。授業の3分の2は実習時間にあてられる。

電気・電子・通信・コンピュータ

電気電子科／電気技術科／電気デジタル技術科／電業技術学科／電気工学科／電気工事科／電気工事士科／家電サービスコース／電気設備コース／電子科／電子応用工学科／電子通信システム科／電子工学科／電波通信科／通信ネットワーク学科／情報通信学科／情報工学科／情報システム工学科／情報通信工学科／高度情報工学科／デジタル技術学科／コンピュータ学科／コンピュータ総合技術科／コンピュータサイエンス科／パソコンエキスパート科／パソコンマスター学科

建築・土木・設計・インテリア

建築学科／建築工学科／土木工学科／土木建設科／土木科／土木地質工学科／環境土木科／造園建築家／造園緑地工学科／建築設計科／建築意匠設計科／建築室内設計科／建築デザイン学科／総合リフォームコース／測量調査科／測量科／測量設計科／情報測量学科／ビジネス測量学科／インテリア工学科／インテリアコーディネーター科／商空間デザイン科／インテリア科／生活空間デザイン科／雑貨インテリアデザイナー科

製図・トレース

CAD製図科／CADドラフト科／土木CAD設計科／建築CAD製図科／機械設計CAD科／CAD設計製図科／機械CAD設計科／メカニカル3D・CAD科／CADエキスパート科／3D-CAD科

設備・環境システム・ビル管理・ボイラー

設備工学科／建築設計科／総合設備工学科／環境設備科／環境システム科／ビル管理科／空調電気設備科／電気設備科／空調システム科／空調工学科／配管科／ボイラー運転科

機械・メカトロニクス・溶接

機械設計科／鋼構造工学科／鉄骨情報工学科／構造工学科／機械・電子学科／機械工学科／ロボット科／ロボット・機械学科／メカニカルエンジニア科／おもちゃ工学科／総合制御システム科／制御工学科／溶接科／溶接・検査技術科

眼鏡・時計・楽器

眼鏡学科／眼鏡光学科／ウォッチメーカーコース／楽器ビジネス科／楽器総合学科／ピアノ調律学科／弦楽器製作科／管楽器リペア科

自動車整備

自動車整備科／一級自動車整備科／自動車科／自動車工学科／エンジンメンテナンス科／ボデーリペア科／車体整備専攻科／カスタマイズ科／モータースポーツ自動車工学科／自動車ビジネス科

航空・船舶

航空科／航空整備科／航空運行システム科／航空工学科／ヘリコプタ整備科／ヘリコプタ産業科／機械・航空・自動車科／空港サポート科／空港技術科／操縦科／航空操縦科／飛行機操縦士学科／ヘリコプタ操縦士学科／総合舟艇技術学科／船員学科／海洋技術学科

バイオテクノロジー・化学

バイオテクノロジー学科／バイオ環境学科／DNA・再生医療科／醸造醗酵科／食品開発科／バイオ工学科／生命工学技術科／生命科学科／生物化学科／環境化学科／応用分析化学科／生化学分析学科

農業・環境

おもに農林水産畜産業に携わる技術者を養成する。技術進歩の大きい分野であり、近年ではコンピュータ技術を応用した栽培管理や、バイオエンジニアリングにも力を入れている。

農業・水産・畜産

農業経営科／農業経営科学科／野菜果樹学科／作物園芸学科／アクアサイエンス学科／水産増殖学科／水生動物科／生物工学科／応用生物学科／基本技術科／畜産学科／畜産・加工学科／動物管理科

園芸・環境

環境住宅園芸科／フラワービジネス科／花き園芸・栽培学科／グリーンライフデザイン科／エコ・コミュニケーション科／自然保護レンジャー科／自然環境学科／自然環境保全学科／緑化デザイン科／環境ビジネス科／環境工学科／生物工学科

教育・福祉

大きく「教育・保育」と「福祉」に分かれる。近年は、保育福祉科のように教育と福祉の両方を備え、保育士と社会福祉士を同時に目指すことができる学科も増えている。

保育・幼児教育・教員養成

幼稚園教諭養成科／幼児保育科／児童科初等課程／養護科／保育士養成科／保育介護福祉科／保育福祉科／保育心理科／児童福祉学科

介護福祉・社会福祉

介護福祉科／介護福祉士科／社会福祉科／精神保健福祉科／保健福祉心理科／福祉専門学科／福祉ソーシャルワーカー科／健康福祉科／医療福祉心理科

医療

専門学校のなかでも最も学生数が多い。学科が資格に直結しているため、入学試験に学科を課すところがほとんどで、最も入学が難しい分野とされている。

看護・保健・助産・救命救急

看護学科／看護師養成科／看護専攻科／准看護学科／臨床看護学科／保健学科／保健看護学科／助産学科／助産師学科／救命救急学科

臨床・診療放射線

臨床検査学科／臨床検査技師学科／臨床検査技術学科／臨床工学科／診療放射線学科／診療放射線技術学科

歯科衛生士・歯科技工士・歯科助手

歯科衛生士学科／歯科技工士学科／歯科助手学科

リハビリテーション

リハビリテーション学科／理学療法科／作業療法科／視能訓練科／言語聴覚科／義肢装具士科

鍼灸・マッサージ・柔道整復・整体・気

鍼灸科／あん摩マッサージ指圧科／鍼灸マッサージ科／柔道整復学科／メディカルトレーナー科／スポーツトレーナー科／整体科／カイロプラクティック科／リフレクソロジー科／フットケア科

医療秘書・医療事務・病院管理・薬事

医療秘書科／医療事務科／医療事務秘書科／医療保険事務科／病院管理科／医療情報システム科／医療情報管理士科／看護医療ビジネス科／医療ビジネス科／医薬福祉ビジネス科／調剤事務科／薬事科／薬業学科

栄養・調理分野

おもに栄養士と調理師の国家資格を目指す。複数の目標を掲げる学科も多い。優れた技術を習得した卒業生の中には独立する者もいる。

栄養

栄養士科／栄養学科／食物科／管理栄養士科

調理

調理師科／調理科／調理技術教育学科／調理テクニカル科／調理高度技術学科／上級調理技術科／調理技術経営学科／調理高等技術科／調理教養科

製菓

製菓科／洋菓子科／和菓子科／製菓衛生師科／上級製菓技術科／製菓総合専門士科／製菓製パン科／製パン科／製パン技術科／パティシエ科／パティシエ・ブランジェ科

その他

フードコーディネーター科／テーブルコーディネーター科／喫茶科／バーテンダー科／ソムリエ科／製菓・カフェ経営科／調理経営学科／日本料理科／イタリア料理科／フランス料理科

理容・美容

理容師や美容師だけではなく、美容に関するさまざまな技術を合わせて身につけることを目指した学科も多い。美容師の資格を持った上で、さらに各専門分野で活躍できる人材育成を行う。

理容・美容

理容科／理容師科／美容師科／美容学科／美容専門科／トータル美容科／管理美容師科／総合美容学科

トータルビューティー

メイク科／メイクアップデザイン科／メイク・ヘア科／ヘアファッション科／メイクネイルビジネス科／ネイル科／ネイルアート科／ネイルスペシャリスト科／美容ビジネス科／エステ美容科／美容電気脱毛科／トータルエステティック科／カラーリスト科／カラービューティー科／ビューティープロデュース学科／ファッション・トータル美容専門科／トータルビューティー科

ファッション・家政

アパレル産業の技術者の養成を目指す。おおまかに、製品を「つくる学科」と「販売する学科」に分けられる。どちらの学科も、まず服飾全般の知識と技術を学んでから、専門分野を選択する。

服飾デザイン・スタイリスト

ファッションデザイン科／ファッションクリエイト科／アパレルデザイン科／アパレル技術科／アパレル総合科／アパレルマーチャンダイジング科／服飾科／服飾造形学科／服飾デザイン科／服飾パターン科／パタンナー科／オートクチュール科／ステージ衣装科／ファッションコーディネート科／スタイリスト科／スタイリストコーディネート科／ファッション表現学科／ビューティ表現学科／ファッション情報科／ファッションマスター科／ファッション情報科／ファッション産業科／ファッションビジネス科／アパレルビジネス科

裁縫・家政

洋裁科／和裁科／和裁テクニカル科／着物技術科／着物着付け科／着物スタイリスト科／家政学科

アクセサリー・小物・工芸

テキスタイルデザイン科／バッグデザイン科／シューズデザイン科／ジュエリーデザイン科／ジュエリーアート科／宝石・貴金属加工学科／宝飾デザイン学科／ジュエリー・クラフト科／メタルクラフト科／彫金工芸科／工芸デザイン科／生活デザイン科／帽子デザイン科／帽子・グッズデザイン科／着物染色工芸科／雑貨コーディネーター科

編み物・手芸

編物科／編物デザイン科／ニット科／ニットデザイン科／ニットモード科／アパレルニットデザイン科／ニット手芸本科

芸術・文化・その他

この分野には多種多様な学科がある。だが直接資格に結びつくものが少ないために、適性が問われることになる。近年はペットビジネスなど動物系学科の伸びが見られる。

芸術／美術

彫刻科／絵画科／水墨画科／日本画科／保存修復科／ファインアート科

芸術／音楽

ミュージシャン学科／ヴォーカル学科／ギター科／ピアノ科／キーボード科／ベース科／ドラムス・パーカッション科／サックス科／音楽教育学科／作曲・編曲科／コンピュータミュージック科／サウンドアートビジネス科／商業音楽科／DJ科

芸術／芸能・ダンス・演劇

パフォーマンス科／お笑いタレント科／ダンス学科／ストリートダンス科／パフォーマンス学科／パフォーミングアーツ科／コミュニケーションアート科／舞台俳優科／アクション俳優科／ミュージカル学科／演劇俳優科／アニメ声優科／声優学科／声優・アナウンス科／放送声優科／放送演技科／モデル科

文化／茶道・華道・書道・フラワーデザイン

茶道科／華道科／書道本科／書道師範科／文化芸術科／フラワーデザイン科／フラワーデザイン造形科／フラワーコーディネート学科／フラワービジネス科／ブライダルフラワー科

文化／アニメ・ゲーム・イラスト

アニメーション学科／キャラクター科／アニメーション美術科／アニメーション研究科／イラストレーション科／ゲームデザイン科／ゲームクリエイター科／ゲーム制作科／ゲームCGデザイン科／ゲーム企画科／マルチメディア科／デジタルメディア科

デザイン

グラフィックデザイン科／インテリアデザイン科／エディトリアルデザイン科／造形デザイン科／スペースデザイン科／ビジュアルデザイン科／インダストリアルデザイン科／商業デザイン科／視覚伝達デザイン科／広告デザイン科／コンピュータデザイン科／WEBデザイン科／CGデザイン科／3Dデザイン科／コンピュータグラフィックス科／デジタルコンテンツデザイン科／DTPデザイン科／DTP・WEBデザイン科／プロダクトデザイン科

マスコミ／編集・広告

編集科／マスコミ編集学科／雑誌編集科／ライター科／スポーツマスコミ科／音楽ライター科／ジャーナリスト総合科／脚本科／文芸創作科／マスコミ広報学科／アドバタイジング科／広告デザインビジネス科

マスコミ／放送・音響・映像・写真

放送技術科／放送メディア科／放送芸術科／放送映画科／放送音響科／音響芸術科／音響学科／音楽テクノロジー科／レコーディングエンジニア科／PAエンジニア科／音響・映像学科／映像メディアビジネス科／映像編集科／映像クリエイション科／デジタル映像科／CG映像科／テレビ映像科／テレビ美術科／照明科／カメラマン科／コンサートスタッフ科／音楽ビジネスプロデューサー科／アーティストマネジメント科／アーティストプロモーター科／音楽イベント・コンサート企画科／コンサー

トツアーマネージャー科／ステージライティング科／ラジオ番組企画科／プロモーション映像科／写真学科／広告写真科／報道写真科

スポーツ

スポーツビジネス科／健康スポーツ科学科／スポーツ産業学科／スポーツ健康福祉学科／スポーツインストラクター科／スポーツ教育学科／アスレティックトレーナー学科／アウトドア学科／健康福祉科／キッズエデュテイメント学科／チャイルド・スポーツ科／フィトネストレーナー科／マリンスポーツ科／ダイビング学科／テニスインストラクター科／スイミングインストラクター科／フィッシングビジネス科／ウィンタースポーツ科／アクティブスポーツ科

ペット

ペットビジネス学科／ペットケア総合科／動物看護科／動物看護・理学療法学科／ペット栄養・看護師学科／ペット介護福祉科／ペット美容科／ペット美容看護学科／アニマルセラピー学科／海洋生物学科／介助犬トレーナー学科／ドッグトレーナー科／ドッグトレーニングインストラクター学科／トリミング学科／飼育管理学科／動物飼養管理科／動物管理学科／動物健康管理学科／動物調教・飼育学科／海洋動物飼育調教科／乗馬・飼育調教科／アニマルヘルスケア学科／アニマルサイエンス学科／アニマルスペシャリスト学科

ビジネス・実務・語学

幅広い学科があるが、多くが実務教育を課し、即戦力となる人材の育成を目指している。大学生や社会人がダブルスクールで学ぶ人も多い。

ビジネス

経営学科／ビジネス学科／経営ビジネス学科／オフィスビジネス科／ビジネスキャリア科／国際ビジネス科／経営マネジメント科／マネジメント管理科／経営情報科／流通ビジネス科／ショップビジネス科／ショップマネジメント学科／販売・営業サービス科／国際情報ビジネス学科／貿易ビジネス科／航空貿易学科／総合ビジネス学科／ビジネスライセンス科／ベンチャービジネス学科／秘書科／OA秘書科／国際秘書科

情報処理

情報処理学科／情報管理学科／システムエンジニア学科／情報システム開発科／情報総合学科／情報処理SE科／システムアドミニストレータ科／ビジネス情報処理科／情報ビジネス科／ITビジネス科／コンピュータビジネス科／コンピュータプログラム学科／ゲームプログラミング科／コンピュータアミューズメント科／デジタル情報コミュニケーション学科／コンピュータネットワーク学科／マルチメディアコンピュータ科／ネットワークセキュリティー科／ネットワーク技術科／ITスペシャリスト科／ITネットワーク科／ネット技術者養成科／システムデザイン科／ITインストラクター科

会計・簿記

会計学科／会計ビジネス学科／税務会計学科／コンピュータ会計科／税理士科／簿記会計科／経理ビジネス科／経理実務学科／経営経理科／事務経理科／情報経理学科／コンピュータ経理学科

法律・不動産・公務員

法律学科／実務法律科／ビジネス法務学科／法律行政学科／経営法学科／法律ビジネス科／行政ビジネス学科／行政教養科／行政書士科／行政学科／行政情報学科／公務員科／警察官科／消防官科／裁判所事務官科／公務員ビジネス学科／国際関係学科／不動産ビジネス学科／宅建ビジネス学科

オフィス実務

速記科／OAビジネス学科／パソコン科／キータッチ科／事務職養成科／OA事務学科

観光・航空・ホテルなどサービス

旅行学科／トラベル学科／ホテル学科／ホテル・トラベルビジネス学科／ツアーコンダクター養成科／総合観光学科／国際観光学科／ホテル＆レジャー学科／リゾートビジネス学科／テーマパークレジャー学科／サービス産業学科／飲料サービス学科／レストラン経営科／交通サービス科／航空・運輸学科／エアライン学科／フライトアテンダント・エアライン科／エアラインビジネス科／エアポートビジネス科／エアポート学科／ブライダル学科／ブライダルコーディネーター学科／ブライダルプロデュース科

語学／外国語・日本語・通訳・翻訳

英語基礎科／総合英語科／英米語科／英会話科／児童英語教育科／留学英語学科／国際留学科／正規留学科／TOEIC科／TOEFL科／フランス語科／ドイツ語科／イタリア語科／スペイン語科／韓国語科／ロシア語科／中国語科／ポルトガル語科／インドネシア語科／アラビア語科／日本語教育科／日本語教師養成科／国際コミュニケーション学科／国際教養科／国際ボランティア科／英語通訳科／通訳養成科／英語通訳ガイド科／観光英語科／英語翻訳科／実務翻訳科／文芸翻訳科／映像翻訳科／日韓通訳科／日中通訳科

進路 | # 職業能力開発校（公的職業訓練施設）

　公的職業訓練施設は、いろいろな分野で「職人」として働くための知識や技能を、非常に安い授業料で学ぶことができる。同じような学科でも専門学校よりはるかに安いのは、行政・自治体が運営する公的施設だからだ。ここでは、おもに若年者を対象とした学科と、全国の職業訓練施設を紹介する。

東京都立多摩能力開発センターを訪ねる

　多摩能力開発センターは、一方通行だらけの狭い路地の奥にあり、ナビが沈黙してしまって、車で向かったわたしは30分近く迷うことになった。場所的にはJR立川駅と西国立駅に近いのだが、とにかくわかりにくくて、取材の約束の時間をとっくに過ぎてしまい、焦ったわたしは、そのあたりにいる人に片っ端から聞いた。
「多摩能力開発センターはどこでしょうか」

　地図で見るとかなり大きな建物なので、近所の人なら所在がわかるはずだと思ったのだが、歩いている人、庭にたたずんでいる人、道端で作業をしている人、それぞれに多摩能力開発センターがどこにあるか、誰も知らなかった。わたしは、近年に名称が変わったことをふと思い出し、旧名で訊ねることにした。
「立川技術専門学校はどこでしょうか」

　それでもダメだった。合計10名近くの人に聞いたが、それ何？　という感じで、多摩能力開発センター、あるいは立川技術専門学校という名前そのものを、知らなかった。センターに直接電話をして道順を聞き、30分以上遅刻して、やっと到着したのだが、センターは、堂々とした鉄筋コンクリート4階建てで、他に2階建ての実習棟があり、どうしてこんなに大きな建物の所在を近所の人は知らないのだろうか、と不思議に思った。

意欲的な指導者と訓練生

　訓練課の職員と技術指導者の案内で所内を見学した。建物全体が古く、公的施設独特の陰気なムードがあるが、清掃・整頓が行き届いている。建築設備、電気機器、溶接など、実習設備がある教室が並び、生徒たちは広々としたスペースで訓練を受けていた。中卒者も入校が可能な自動車整備科には、13名（定員30名）の訓練生がいて、彼らの表情は真剣で、また楽しそうだった。4月の入校からすでに3ヶ月経っていて、和気あいあいとした雰囲気だが、目つきは真剣そのものだった。女子の生徒が2名いて、髪の毛は見事な茶髪

だったが、活き活きとして実習に励んでいた。

　若年者（15歳から24歳まで）を対象とした就業支援訓練は、2006年にスタートしたそうだが、入校希望者は減少していて、自動車整備科のように定員割れしている学科が多いという。近年、汚れるからという理由で、若者はもの作りの現場から離れていく傾向にあるらしい。若者の車離れの影響もあるのだろう。
　男の子はみんな車好き、という時代は確かに終わりつつある。

　次に、おもに高卒者対象の、自動車塗装の実習を見学したが、やはりとても楽しそうで、しかもみんな目つきが真剣だった。指導員が魅力的なのも共通していた。生徒たちは指導員に対し、まるで友人のように話しかける。だがその態度には技術を指導してくれる人に対するリスペクトが感じられた。指導員は私語をする生徒を叱るが、叱り方は陰湿ではなく、ユーモアを交えて温かみが感じられた。

　わたしが実際に見た指導員はたった数人に過ぎない。おそらく、堅苦しくて面白みに欠け、陰湿な性格の指導員もいるのかも知れない。だが、ものを作ること、技術の習得には、根源的な喜びがあるのではないかと思った。入校から3ヶ月が経っているので、イヤでイヤでしようがない生徒はすでに辞めてしまっていて、残っているのは訓練に何らかのやりがいを持っている者ばかりだ。興味ある知識や技術が向上していくのを自覚するのはいい気分だし、そういった生徒を指導する側にも充実感があるのではないだろうか。

しかし、なぜ不人気なのか

　自動車塗装科の生徒は17名だった。定員は30名なので、定員割れしている。だが、都立の公的施設なので授業料は安い。年間で11万5200円だ。ちなみに、専門学校（筑波研究学園専門学校・自動車整備工学科の場合）だと、約10倍、年間120万円が必要になる。カリキュラムや設備、それに就職状況など両者の違いははっきりしないが、年間授業料が12万円弱、月額約1万円というのは、経済的に余裕がない若者にとってありがたい存在だろう。

　さらに、15歳から24歳までが対象の自動車整備科（1年間コース）の場合、授業料は無料だ。教科書と作業着代だけを自費で負担する。だが前述した通り、定員30名に対して生徒は13名と大きく定員割れしている。近年の雇用不安から、公的職業訓練施設へ再訓練に訪れる離職者・在職者が増加しているようだが、新卒者に人気があると

は言えない。その理由は、まず能力開発センターという存在が、そもそもあまり知られていないからだ。わたしが道を聞いた近所の人たちも、その名称すら知らなかった。さらに、公的職業訓練施設に対する昔ながらのイメージも影響している。

公的職業訓練の歴史

　戦後の職業訓練は、膨大な数の失業者を対象にして、「職業補導所」としてスタートした。「補導」という言葉が、わが国の職業訓練観を象徴している。つまりそれは、個人の能力を開発し一人前の大人として育て、社会に送り出すというより、働くところのない人の社会適応を行政が補い、導くという、教導を促すものだった。あたり一面焼け野原で復員軍人をはじめとする失業者があふれかえっていたわけだから、その方針は当然だったと言えるだろう。

　その後、終戦後の混乱が収まってくるにつれて、職業訓練の対象が失業者から若年層へと移る。民間企業の要請に応じる格好で、中卒者と高卒者に対して、半熟練工、熟練工としての訓練課程が用意された。1956年の求人倍率（1人に対する求人数）は、中卒が1.0倍、高卒は0.8倍だったので、当然の対策だった。

　1958年、職業訓練法が制定され、公的職業訓練施設が四つに分類される。

1：「一般職業訓練所」──都道府県が設置運営する。基礎的な短期の訓練で、若年層では中卒者を対象に半熟練工を養成。
2：「総合職業訓練所」──国が設置運営する。専門的な中長期の訓練で、若年層では中卒者を対象に熟練工を養成。
3：「身体障害者職業訓練所」──国が設置し都道府県が運営する。
4：「中央職業訓練所」──国が設置運営する。指導員を養成。

後年、設置運営が、国から、「労働福祉事業団」、「雇用促進事業団」、さらに現在の「雇用・能力開発機構（2010年度末をめどに廃止の予定）」に移るが、この四つの分類は、基本的に現代まで継続している。

高度成長期の公的職業訓練

　60年代になると高度成長が本格化した。好況が続き、生産が上がって労働力の絶対数が不足し、中卒者は「金の卵」と呼ばれるようになる。1965年になると、求人倍率は、中卒が3.7倍、高卒が3.5倍と急上昇した。つまり、職業訓練など要らないから早く来てくれ、という民間の製造業からの要請が殺到するようになった。右肩上がりで売り上げを伸ばし続ける民間企業は、新入社員に対し自前の訓練を与える余裕があり、そのほうが各企業と各職場で、それぞれ個別に必要な技術・知識・能力を養うのに便利だった。

　60年代以降、OJT（On the Job Training 仕事を通じての訓練）と呼ばれる企業内職業訓練が主流となり、公的職業訓練施設は補助的な役割に甘んじることになる。また、学校では具体的な職業訓練はほとんどなされることがなかった。学校は一般的な教育の場であり、工業や商業の職業高校、それに60年代初頭に創設された工業高等専門学校でさえ、民間企業と連携した職業訓練はほとんど提供されなかった。

　奇跡とも言える高度成長がもしなかったら、ひょっとしたら日本の公的職業訓練は、中卒者と高卒者を対象に、より合理的に進歩し、洗練され、民間企業や教育機関との連携も充実して、今日に至ったかも知れない。だが、皮肉にも高度成長は、若年層への公的職業訓練の進歩と充実の機会を奪うことになった。日本社会は、若年層に対する公的職業訓練の必要性に気づくことなく経済成長を達成し、先進国の仲間入りを果たす。しかし、70年代半ばに、年率10％以上のGDP上昇という奇跡の時期は終わる。そして二度の石油危機を経て、円高による内需振興策としての国内への過剰な投資、つまりバブルを迎え、その崩壊とともに、そのあと現代まで続く長い長い不況に直面することになる。

変化と不況の中で

　70年代初頭、OECD（経済協力開発機構）の調査団は日本の公的職業訓練に関する報告を作成し、課題を示した。

A：企業内の訓練に比べ当初から公的職業訓練の役割が小さかった。
B：個人の生涯所得が若年期の学歴に依存することが、理論教育の重視と肉体労働の軽視をもたらしている。
C：一般教育に関心が少ない若者は職業訓練を受け、いったん就職し、職業を通して社会と接した

あと、その必要性に目覚めた場合に、再び高校や大学に進めるようにシステムを整備すべきである。
D：若年層が減少する中で失業者と在職者の訓練の必要性が高まる。対応するためには、公的職業訓練と企業内訓練のバランスと連携が重要である。だが、それらの課題は、現代にいたるまで改善されていない。

　74年の第1次石油危機は、日本経済に戦後はじめてのマイナス成長をもたらしただけではなく、生き残りを賭けた技術革新が進んで、産業構造と雇用に大きな変化を迫ることになった。たとえば産業用ロボットの普及は、熟練工の仕事を奪った。熟練工は、それまで非熟練工が行っていた作業をこなすようになり、押し出される形で大量の非熟練工が職を失うことになる。雇用の求人倍率は急速に低下し、逆にパートタイムなど女性労働者の需要が高まった。

　76年の第2次職業訓練基本計画は、高度成長の終焉と、重化学工業から高付加価値産業への転換を予測し、さらに81年の第3次職業訓練基本計画では、サービス業、社会福祉、教育、文化、そして医療と情報処理分野での就業者が今後増加するという見通しを示している。高学歴化が進み、高校進学率の高まりとともに、中卒の職業訓練生が減少し、質的にも低下した。公的職業訓練施設では、対象を高卒に切り替えることになる。しかし入校率から見ても、公的職業訓練施設は高卒者にとって魅力的とは言えなかった。

現状と課題

　現在、不況による離職者・失業者が増えたことで、公的職業訓練に注目が集まっている。ただし、目につくのは就業支援手当や個別職業指導という短期的な対策だけで、教育に職業訓練を最初から組み入れるという長期的な発想はない。
　教育は、旧文部相、現代の文科省の担当であり、職業訓練は旧労働省、現代は厚労省所管の独立行政法人である「雇用・能力開発機構」が担当して、これまで両者にはほとんど協力・連携体制がなかった。また、わが国の職業訓練の大半を担ってきた民間企業内での職業訓練は、公的職業訓練や教育とは切り離された形で続いてきた。

　しかも、2009年9月現在、雇用・能力開発センターは廃止される見通しとなっている。今後、若年層の公的職業訓練が充実したものになっていくかどうか、きわめて不透明だ。失業率が最悪になるなど、雇用不安が続いているので、若年層より離職者の職業訓練のほうが優先されるかも知れない。いずれにしろ、公的職業訓練施設の将来に大きな期待はできないし、今進路について考えなければならない13歳は、制度が整うま

で待つなどと、のんびりしたことは言っていられない。しかし、だからこそ、公的職業訓練施設を「利用する」という基本的戦略が重要になるのではないかと思う。

　この「職業訓練施設」のコーナーでは、できる限り詳細に、都道府県別の訓練施設の所在と、その訓練内容を紹介する。また、どんな科目があり、どんな技術が学べるのかも一覧として示す。公的職業訓練施設で、技術を習得すれば必ずどこかに就職できるわけではないし、一生安泰というわけでもない。だが、現在の日本では、一生安泰という職業などないことを自覚すべきだ。医師や薬剤師や公認会計士や弁護士など、資格の取得が非常にむずかしい職業でも、不断の学習が必要で、一生安泰というわけではない。

「やるべきこと」と「仲間」

　施設で訓練を受けることで得られるメリットは、授業料が安いということの他に、少なくとも二つある。一つは、「何もすることがない、何をすればいいのかわからない」という最悪の状況から脱出できることだ。「何もすることがない」という状況は恐ろしい。無為に過ごすうちに自信が失われ、自分は何の役にも立たない人間で、誰からも相手にされていないし、誰かを幸福にすることなどできないし、これから生きていてもろくなことはないだろう、というようなネガティブな思いを抱くようになる。

　メリットの二つ目は、仲間ができることだ。孤独から逃れることができる。わたしが見学した東京都立多摩能力開発センター、自動車塗装のクラスの入り口付近には、訓練生がエアスプレーガンで描いた自動車のドア部分がずらりと並んでいた。ドクロ、金髪の女の顔、天使と悪魔、南国の夕陽など、各自が好きなものを描いたドアが飾ってあった。訓練生は、淡々と作業をしていて、私語はほとんどなかった。女子が二人いて、少し離れたところで真剣な表情で作業をしていた。女子の塗装工は少ないので人気があるのだと指導員が教えてくれた。

　ここは外国高級車の塗装材料もそろえていて、フェラーリやランボルギーニの塗装も可能です、と誇らしげに指導員がわたしに言うと、訓練生の一人が、フェラーリなんかまだやってねえよ、と小声でつぶやき、そのときは笑い声が起こった。訓練生たちには、暗い印象がなかった。コンビニやファミレスの駐車場にたむろしている若者たちと違って、暗い目をしている者は誰もいなかった。訓練生は、やるべきことと、そして仲間を持っているのだと、わたしはそう思った。

参考文献・資料：

- 『大学だけじゃない─もうひとつのキャリア形成─日本と世界の職業教育』平沼高・新井吾朗編著：職業訓練教材研究会
- 「学校卒業者の公共職業訓練と修了後の進路」（『職業と技術の教育学』第17号・2006年）職業能力開発総合大学校　田中萬年
  http://minoaki2001.web.officelive.com/bunken.aspx
- 「職業訓練の変遷と課題」逆瀬川潔
  appsv.main.teikyo-u.ac.jp/tosho/ksakasegawa52.pdf

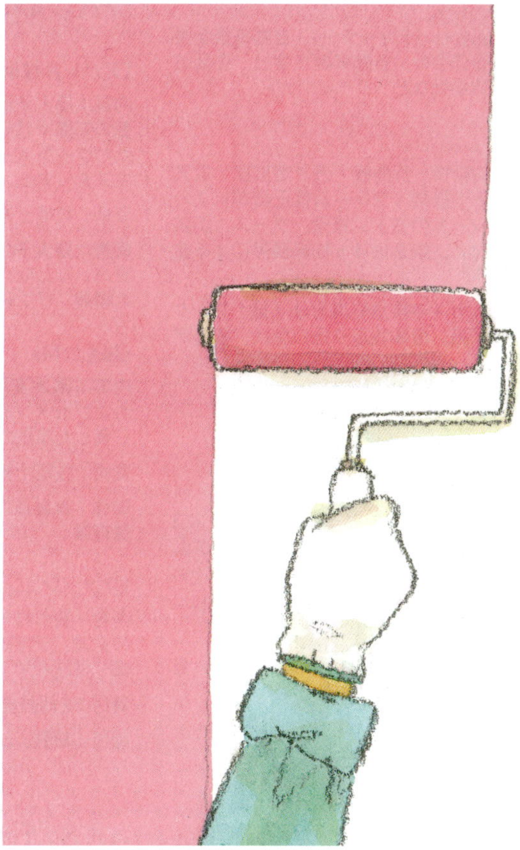

公的職業訓練施設学科一覧

車関係

《自動車整備科》
内容：2級自動車整備士として必要な自動車技術の専門知識と整備技術及びサービス業としての接客接遇方法を身につけることを目標とし、整備技術について学ぶ。（1年課程では3級までが多い）

資格：技能士補、2級ガソリン自動車整備士実技試験免除、2級ジーゼル自動車整備士実技試験免除、ガス溶接技能講習修了証、アーク溶接等の業務特別教育修了証、電気取扱い業務（低圧）特別教育修了証、低圧電気取扱特別教育修了証、有機溶剤作業主任者技能講習修了証、玉掛け技能講習修了証

職種：自動車ディーラー、自動車整備業、板金塗装業など

《自動車塗装科》
内容：自動車の板金塗装を中心とした金属塗装で、軽板金、部分補修塗装、全面塗り替え塗装などソリッド、メタリック、パール仕上げを主体に、自動車板金塗装に必要な知識と技能を習得できる。

資格：技能士補［国：塗装］、ガス溶接技能講習修了証、特別教育修了証（アーク溶接）、東京都2種公害防止管理者

職種：自動車販売会社（ディーラー）、自動車板金塗装会社、自動車整備会社、自動車製造会社、金属塗装会社、塗料製造会社など

《車体整備科》
内容：プレス・切断機・折曲機・ガス溶接機・電気溶接機・スポット溶接機・フレーム修正機等によりボディー及びフレームの修正、修理、ブース（塗装室）内での吹き付け、焼き付け・乾燥機等による塗装作業などを学ぶ。

資格：技能士補、ガス溶接技能講習修了証、アーク溶接特別教育修了証、危険物取り扱い免状、有機溶剤作業主任者など

CAD関係

《3次元CAD&モデリング》
内容：2次元・3次元CADの基礎から、最新の3次元CADを使った部品・製品の設計まで、3次元CADのあらゆる技術を使用した実践的な訓練を行う。

資格：技能士補、CAD利用技術者試験、CADトレース技能審査試験など

職種：機械機器製造業、設計事務所の製図部門、自動車整備、金属塗装会社、板金所など

《マシニング&CAD／CAM》
内容：マシニングセンターやCAD／CAMシステムを使った複雑なコンピュータ加工から、旋盤やフライス盤での加工技術までを身につける。

資格：アーク溶接等の業務に係る特別教育、研削砥石の取替え等の業務に係る特別教育、ガス溶接技能講習

職種：一般機械器具製造業、精密機械器具製造業、自動車部品製造業など

塗装関係

《塗装科》
内容：機械器具の取り扱いから、はけ塗り、吹き付け、工程管理、そしてデザインまで、塗装技術に関するすべての工程を学習。

資格：ガス溶接技能講習修了証、アーク溶接特別教育修了証、乙4類危険物取扱者、有機溶剤作業主任者

職種：金属塗装、建築塗装及び自動車修理関係企業など

アパレル関係

《アパレル技術科》
内容：婦人子供服の企画・デザイン、製図および縫製の知識や技術を習得するとともに、CADを利用したパターンメーキングなどの基礎的な知識と技術をマスターする。

資格：技能士補

職種：婦人子供服の企画・製造部門、パタンナー、アパレルCADオペレーター、デザイナー、サンプルの縫製、リフォームなど

《製くつ科》
内容：基本実習では基本的デザインの型紙、製甲およびセメント式底付（手工、及び機械作業）まで、一貫した革靴の製造工程を習得する。

資格：技能士補

職種：靴製造業、靴企画問屋、義肢装具製造業、靴修理業

《ファッションビジネス科》
内容：製作技術をはじめとして、アパレル製品全般の企画、デザイン、流通、販売に関する基礎的な知識・技能を学ぶ。

資格：2級技能検定試験（婦人・子供服製造）

職種：縫製、リフォーム、ショップ、販売など

《繊維エンジニア科》
内容：テキスタイル製品を制作しながら、各種PC、ソフト操作、デザインCAD、色彩用CADを使い、染めや捺染での加工表現を学ぶとともに、手織機や織機で織物の基礎を学ぶ。
資格：2級織機調整技能士、2級染色技能士（取得目標）、ガス溶接技能講習修了証、第4類危険物取扱者、キータッチ2000、コンピュータサービス技能評価試験表計算部門
職種：縫製、リフォーム、ショップ、販売など

木工関係

《木工工芸科》
内容：家具製作に必要なデザイン、設計、構造材料、家具工作、塗装等の知識や、器工具類と取り扱い及び各種木工機械の操作技術を学ぶ。
資格：2級技能士（家具・建具：実務経験要）、木材加工用機械作業主任者（実務経験要）、技能士補
職種：木工所、工芸品製作、家具製造業、建具製造業、工務店、店舗の内装業（製造、取り付け、販売）

《土木工学科》
内容：1級・2級土木施工管理技士、測量士（補）の資格取得に必要な教育訓練にあわせ、GPSやトータルステーション、電子平板を使っての測量実習、それをCADシステムによりデータ処理する訓練など。
資格：玉掛け、小型移動式クレーン運転業務、車輌系建設機械運転業務（整地・運搬・積込み用及び掘削用）、地山の掘削作業主任者、土留め支保工作業主任者、小型車両系建設機械運転業務（整地・運搬・積込み用及び掘削用）、ローラー運転業務
職種：工務店、製造業など

《竹工芸科》
内容：竹製品各種のヒゴ取りから各種編み方、及び染色・塗装等の基本技術、クラフト的工芸品、伝統的工芸品の製作技能を習得する。
資格：特になし
職種：竹製品製造企業、または工房を開設

機械関係

《機械技術科》
内容：手作業から機械加工コンピュータ操作を学び機械として動かすものづくり、機械技術者としての技術を学ぶ。
資格：技能士、ガス溶接技能講習、アーク・研削砥石特別安全衛生教育
職種：機械製造企業、機械部品製造企業、自動車部品製造企業、精密金型製造企業など

《電子機械科》
内容：手動操作やプログラムによる機械操作、さらには電子機器による制御技術を習得し製造技術やメンテナンスに対応できる技術を学ぶ。
資格：ガス溶接技能講習修了証、アーク溶接特別安全衛生教育修了証、技能士補（2級技能士学科免除）、技能五輪大会出場（2級技能士実技免除）、CADトレース技士（機械部門／初級・中級）
職種：製造会社（機械加工、設計、溶接）、食品会社（製造ライン保守、管理）

《機械エンジニア科》
内容：各種汎用工作機械の取扱いに加えて、数値制御（CNC）工作機械の操作、プログラミング、CAD／CAM等の各種設備を応用した加工実習などで、必要な形状に精密加工する技術と知識を学ぶ。
資格：ガス溶接技能講習修了証（講習修了試験に合格した場合）、研削砥石の取り扱いに係る特別教育修了証、アーク溶接の取り扱いに係る特別教育修了証、技能士
職種：一般機械器具製造業、金型部品製造業、自動車部品製造業、鋼構造物工事業など

《機械加工科》
内容：実学一体の指導で、旋盤・フライス盤・ボール盤などの人の手で加工する汎用工作機械やNC旋盤・マシニングセンターなどNC工作機械を使って、ものづくりを学ぶ。
資格：東京都技能士補、グラインダー作業の特別教育修了証、ガス溶接技能講習修了証、アーク溶接特別教育修了証
職業：金属部品・自動車部品・電気部品・各種治工具製造業などの幅広い中小企業など

《メカニカルデザイン科》
内容：3次元CADによる製品の企画・設計及び各種工作機械による加工などに関する知識、技術・技能を習得する。
資格：技能士補、ガス溶接技能講習修了証、自由研削砥石、アーク溶接、CAD利用技能者試験など
職種：機械建設事務所、機械製造業、金属製品製造業など

《機械整備科》
内容：建設機械や農業機械各部装置の構造・機能についての知識や点検・分解・組立・調整・故障診断等の技術、更に運転技術まで習得し、一般的な整備作業から特殊機構まで幅広く学ぶ。

資格：技能士補、車輌系建設機械運転資格、特定自主検査・検査者資格、農業機械整備（実務経験）、危険物取扱者、研削砥石、アーク溶接など

職種：建設、建設機械会社、JA農具など

《建設機械整備科》

内容：建設機械の整備に必要な機器及び機械工具の取り扱い、建設機械の整備作業、故障診断、運転操作及び建設機械の検査作業を学ぶ。

資格：車輌系建設機械の特定自主検査者、車輌系検査機械運転技能講習修了証、ガス溶接技能講習修了証、アーク溶接特別教育修了証、小型クレーン運転技能講習修了証、大型特殊自動車運転免許証、フォークリフト運転技能講習修了証、移動式クレーン運転士、玉掛け技能講習修了証など

職種：建設、建設機器など

《メカトロニクス科》

内容：メカニクス（機械工学）とエレクトロニクス（電子工学）さらにはコンピュータ制御を基礎から勉強する。

資格：東京都技能士補、ガス溶接技能講習修了証、アーク溶接特別教育修了証

職種：各種自動化機器製造会社、ソフトウェアハウスなど

《生産システム制御科》

内容：電気電子・機械・制御が融合してつくりあげる生産機器の組立、操作および保守をはじめ、制御システムの開発・設計などの技能と知識を習得できる。

資格：技能士補、技能士検定など

職種：製造業全般

電気関係

《電気工学科》

内容：住宅・ビル内の電灯、コンセント、火災報知設備の配線工事から工場のモーター、ベルトコンベアなどの自動制御及びCADによる屋内配線設計まで電気業界の知識を学ぶ。

資格：第2種電気工事士（低圧受電設備の工事資格）、第1種電気工事士（高圧受電設備の工事資格）、消防設備士甲種4類（自動火災報知設備）、消防設備士乙種7類（漏電火災報知設備）、工事担任者（アナログ・デジタル通信設備工事）

職種：電気設備設計施工会社、電気通信設備設計施工会社、防災設備会社、ビル・メンテナンス会社

《電気機器科》

内容：電気設備工事の設計・施工・検査に必要な知識と技能、配電盤・制御盤・電気機器に使用されているリレー・タイマーなどによるシーケンス制御及び電気設備のメンテナンスについての技術および技能を習得。

資格：技能士補（※技能照査合格者）、第2種電気工事士（経済産業省養成施設認定）

職種：電気設備工事会社、電気設備保守管理会社、配電盤・制御盤等製造会社など

《電気工事科》

内容：工場、事務所ビル内等に供給するための屋内配線工事等に関する知識・技術を学ぶ。

資格：第2種電気工事士免状、技能士補（電気工事）、ガス溶接技能講習修了証、アーク溶接特別教育修了証、自由研削砥石特別教育修了証など

職種：電気工事、電気設備保守など

《電気配管システム科》

内容：電気工事では電気を建物まで引き込み、蛍光灯、コンセントを取り付けるなどの配線をし、配管工事では台所、風呂などの水道工事、エアコンなどの取り付けを学ぶ。

資格：第2種電気工事士免状、第1種電気工事士免状、消防設備士、2級建築配管技能士、危険物取扱者免状、ガス溶接技能講習免状、アーク溶接特別教育修了証、玉掛け技能講習修了証

職種：電気工事、電気設備など

《電気通信工事科》

内容：電気の基礎から配線、施工及び電話、通信ネットワークに関する知識と技能を学ぶ。

資格：第2種電気工事士免状、工事担任者（デジタル第3種）、ガス溶接技能士講習修了証、小型移動式クレーン運転技能講習修了証など

職種：電気関係、通信関係会社など

電子関係

《電子工学科》

内容：パーソナルコンピュータやマイクロコンピュータに代表される電子機器のハードウェア、ソフトウェア及び通信ネットワークに関する知識と実践的な技術を学ぶ。

資格：電気通信工事担当者、DD1種・3種、情報処理技術者試験、マイクロソフト認定アソシエイト、第1級陸上特殊無線技士、陸上無線技士（1・2級）など

職種：電子機器設計開発エンジニア、ネットワークエンジニア、システムエンジニア、プログラマー、メンテナンスサービスなど

《電子制御システム科》
内容：マイクロコンピュータによる各種制御システムの理論、応用プログラムの開発、センサー及びアクチュエーターの取り扱いの技法など制御技術に関するソフトウェア、ハードウェアの両面について実践的に学ぶ。
資格：2級技能士検定、工事担任者、情報技術処理者など
職種：ネットワーク、通信、システムエンジニアなど

《電子制御情報科》
内容：電子機器・情報産業の「ものづくりシステム」を創造する、ロボット技術などプロダクトエンジニアの技術を学ぶ。
資格：技能士検定、情報処理技術者試験、コンピュータサービス技能評価試験、CADトレース技能審査など
職種：電子機器製造業の生産管理・設計開発、コンピュータシステム管理、情報産業、ソフトウェア開発

溶接・板金関係

《溶接加工科》
内容：溶接・鉄鋼材からアルミニウム、ステンレスなどの特殊材料まで、さまざまな材料の溶接加工技術、知識、さらには工作機械の取り扱いを学ぶ。
資格：ガス溶接技能講習修了証、玉掛け技能講習修了証、アーク溶接特別教育修了証、クレーン特別教育修了証、JIS溶接検定など、産業用ロボット特別教育修了証、高所作業車運転特別教育修了証など
職種：造船業、自動車、鉄鋼関連企業、石油コンビナート溶接関連、航空機、建設業

《プラント保全科》
内容：溶接を中心とした金属加工の技能と超音波などを使って金属内部の状態や欠陥を調べる非破壊検査技術の基礎を学ぶ。
資格：ガス溶接技能講習修了証、アーク溶接特別教育修了証、アーク溶接適格性証明書、半自動溶接適格性証明書、ステンレス鋼溶接適格性証明書、アルミニウム溶接技術資格証明書、玉掛け技能講習修了証、床上操作式クレーン運転技能講習修了証、浸透探傷試験NDIレベル1など
職種：鉄鋼構造物の製造、金属製品の製造企業など

《金型加工科》
内容：金型製作に必要な汎用及びNC機械操作・NCプログラミング・手仕上げなど、専門知識と技術・技能を習得する。
資格：技能士補、自由研削
職種：プレス金型設計・製作、プラスチック金型設計・製作、NC（MC）プログラマー、NC（MC）オペレーター、精密加工技術者、CAD／CAM技術者

《プラスチック加工》
内容：プラスチック成形加工に必要な各種成形機械の取り扱い、金型の点検・修正、製品製作に必要な材料・成形法の技術技能を習得できる。
資格：技能士補、2級プラスチック成形技能検定
職種：プラスチック成形加工会社、プラスチック板加工会社、サインディスプレイ加工会社

建築・土木関係

《建築技術科》
内容：建設全般の知識を得るとともに木造建築の基本から設計・施工や工具の扱い方から実際に住宅を建てるまでの技術を学ぶ。
資格：2級技能士、技能士補、実務経験後：2級建築士、木造建築士、1級建築士、木材加工用機械作業主任者、木造建築物組み立て作業主任者、足場の組み立て等作業主任者
職種：建築・建築施工、建築設計、内装、施工関係など

《建築設備科》
内容：住宅における給排水設備やビル等における消火栓、スプリンクラー設備、ボイラー設備、冷凍空調設備など各種建築設備について、設計、施工、取り扱い方法を学ぶ。
資格：技能士補、ガス溶接技能講習修了証、アーク溶接、排水設備責任者技術試験
職種：管工事施工管理会社、指定上下水道工事会社、建設業など

《建築デザイン科》
内容：住宅・中小規模施設等の設計製図の基本と、CAD（コンピュータ支援設計）システムによる企画・設計技法を学ぶ。
資格：CADトレース技士、福祉環境コーディネーター2、3級、インテリアコーディネーター、3級技能士など
職種：建設会社、ハウスメーカー、建築関係業種、建築設計事務所など

《木造建築科》
内容：木造建築物の施工に必要な知識と技能全般を学ぶ。
資格：技能士補
職種：建築大工

《建築塗装》
内容：環境と調和した建築物の総合仕上げとなる塗装主体の技術・技能を学ぶ訓練科目。
資格：技能士補、2級技能士検定、1級カラーコーディネーター、危険物取扱者
職種：建設塗装会社、木工塗装会社、工務店、インテリア施工会社、塗料製造会社など

《測量・設計科》
内容：測量及び道路・下水道など設計に必要な知識を学ぶ。
資格：技能士、取得可能：測量士、測量補、2級土木施工管理技士、土地家屋調査士
職種：測量、建設、総合建設会社、土地家屋調査士事務所など

《環境分析》
内容：水質・大気など環境分野における汚染物質を物理化学的に分析するための測定法や処理法、さらに食品衛生及びバイオ工学の基礎など環境に係る広い分野について学び、毒物・劇物・危険物を扱うため、その知識や取り扱い法もあわせて勉強する。
資格：技能士補、東京都1種公害防止管理者
職種：大気・水質・騒音等の測定会社（測定・分析）、廃水処理会社（水処理等）、工業薬品等製造販売会社（製品の分析）など

《土木システム科》
内容：土木工事の施工・技術管理に必要な工事測量、丁張り測量などの訓練や工事の積算、施工管理などの知識や技術を学ぶ。
資格：玉掛け技能講習、酸欠・硫化水素作業主任者技能講習、安全衛生推進者養成講習、車輌系建設機械等運転技能講習
職種：土木関係、建設関係など

設備・配管関係

《冷凍空調設備科》
内容：一般空調設備機器、業務用空調、冷凍機器の据付、運転、調整、及び修繕並びに環境に配慮したフロンガスの回収技術等の実践力を養う。
資格：第3種冷凍機械責任者免状、2級ボイラー技士免許、ガス溶接技能講習修了証、アーク溶接特別教育修了証
職種：空調設備工事、メーカーサービス関連会社、ビルメンテナンス会社

《住環境設備科》
内容：建築基礎学科をはじめ、建築物の快適環境実現を目的とする空気調和・給排水設備の設計・施工技術、快適住環境実現のためのシステムキッチン等水廻りのリフォーム設計技術などを学ぶ。
資格：2級建築士、乙種1類消防設備士など
職種：建設、リフォームなど

インテリア関係

《インテリア・サービス科》
内容：衣食住に大切なインテリアの基礎知識から実際の施工技術までの幅広い分野を学ぶ。
資格：技能士補、3級・2級技能士検定、2級建築士
職種：建築設計事務所、住宅リフォーム会社、建設会社・工務店、住宅・建材メーカー、不動産会社、CADオペレーター、ショールーム・家具販売など

情報・IT・WEB関係

《情報技術科》
内容：C言語、Javaなどの各種プログラミング言語やUNIX、アプリケーションの操作など、情報処理に関する知識と技能を総合的に身につける。
資格：基本情報技術者、ソフトウェア開発技術者、技能士補、情報処理技術者試験など
職種：ソフト開発業、システム開発業など

《情報ビジネス科》
内容：コンピュータの構造やソフトウェアに関する情報処理の基礎、ワープロによる文書処理や、表計算・データベース等の操作及び簿記会計を学ぶ。
資格：基本情報処理技能者、日商簿記検定
資格：一般事務系企業、官庁、情報処理関連企業など

《ソフトウェア管理科》
内容：コンピュータプログラムの作成を学ぶ。
資格：基本情報技術者、情報処理試験、Javaプログラマー認定資格、日商簿記、データベース検定、表計算検定
職種：コンピュータプログラマー、コンピュータオ

ペレーター、一般事務など

《組込みシステム技術》
内容：多くのエレクトロニクス製品に組み込まれているマイクロコンピュータのプログラミング及びハードウェア（FPGA）のシステム開発に必要な知識・技能を習得する。
資格：技能士補
職種：各種ソフトウェア開発会社、組込みシステム開発企業

《通信システムエンジニア科》
内容：電気・電子の基礎、ネットワークの理論・構造および構築、無線機器の理論・構造および取り扱いなどについて学科と実習をとおして学ぶ。
資格：DD第1種工事担当者、第1級陸上特殊無線技士
職種：通信工事関連会社、施工工事、ネットワーク、携帯基地局保守、電子機器メンテナンス、設計など

左官関係

《左官・タイル施工科》
内容：壁塗り・ブロック積み・タイル張りなど左官施工の技能にあわせ、材料・工法の基礎知識を習得する。
資格：ガス溶接技能講習修了証、技能士補、2級技能検定など
職種：左官工事業、ブロック工事業、タイル工事業、屋根工事業、内装工事業、エクステリア工事業など

観光・福祉関係

《観光ビジネス科》
内容：ホテルサービスに関する基本的な知識や料飲・宿泊の各業務を理解し、ホテル実務技能認定試験取得に備える。
資格：国内旅行業務取扱管理者、秘書、簿記、PC検定、ホテル実務技能認定、全経税務会計検定など
職種：観光企業、一般企業など

《福祉サービス》
内容：介護および生活援助を中心とした福祉関連業種の就業に必要な知識技能を学ぶ。
資格：介護職員基礎研修修了証
職種：老人ホーム、グループホーム、ヘルパーステーションなど

造園関係

《造園科》
内容：CADによる住宅庭園の設計や伝統的な造園技術に関する知識と技能を学ぶ。
資格：技能士補、3級造園技能検定、2級造園技能検定受験資格など
職種：造園工事関係、緑地管理業など

デザイン・印刷関係

《印刷デザイン科》
内容：DTP操作、印刷機械操作や多種多様な印刷プロセスを理解し、習得する。
資格：印刷製本系製版科技能士補、DTPエキスパート認証試験、技能士、印刷営業士など
職種：印刷業（DTPオペレーター、印刷機オペレーター、製本オペレーター）、印刷関連企画（材料、機械メーカー）など

《広告美術》
内容：広告ボード、看板、車体広告、ディスプレイなどさまざまな広告物の知識、技術を習得する。
資格：技能士補、東京都屋外広告物条例に定める講習修了者　関連資格：レタリング検定、カラーコー

ディネーター検定、POPクリエイター検定など

職種：屋外広告業、ディスプレイ業、関連企画デザイン会社など

陶器関係

《陶磁器成形科》
内容：陶器のロクロ成形、道具作り、施釉、焼成作業等の基本技能と、製陶法、図案法、美術工芸史及び釉薬の基礎知識を身につける。

《陶磁器図案科》
内容：毛筆の使い方、線の描き方、絵具の使い方等、特に「絵付け」の基本となる課題に重点を置き、絵付けの技術を学ぶ。

《陶磁器研究科》
内容：基礎技術はもとより、デザイン、装飾、釉薬等の研究開発と、これによる実用的で優れたオリジナル製品の完成を目標に、製造に係るトータル的な技能をマスターする。

OA・ビジネス関係

《OA事務科》
内容：応接・接遇、OA機器操作、簿記・会計・税務などを学ぶ。

資格：簿記、販売士、ワープロ、情報処理、税務会計、法人税、電卓、秘書など

職種：一般事務、各種販売業、旅行代理店など

美容・理容

《理容科》
内容：各種カッティング技法や、メンズ及びレディース・シェービング技法を中心に、フェイシャル・エステティック、ヘア・カラーリング、ネイルケア・ネイルアートなど、総合的な技術も学びながら、理容師国家試験合格を目指す。

資格：理容師

職種：理容師

《美容科》
内容：美容師の資格取得のための教育訓練にあわせ、トータルファッション（カット、シャンプー、結上げ、エステ）、ブライダル、接客の基本・マナーなどの多様な技術を習得する。

資格：美容師

職種：美容師

リフォーム関係

《室内設計施工》
内容：リフォームの営業設計、管理、施工ができる技能者を目指す。

資格：3級技能士、ガス溶接技能講習修了証

職種：リフォーム企画設計施工業、内装工事業、電気工事業など

独自のプログラム

《メタルクラフト科》
内容：1年次には、塑性加工の基礎技能・知識を習得後、4コース（自動車車体、構造物設備、NC／ロボット、建築設備外装）の体験学習を行い、「適性（自己に対する理解）」と「職業に対する理解」をもとにしてコース選択する。

2年次には、より専門的な「技術・技能」を習得し、自ら創意工夫ができる即戦力となる技術者を目指す。

資格：技能士検定など

職種：コース選択により専門分野へ

《セレクトプロダクト》
内容：「1人で何種類もの仕事をこなせる人＝多能工」のニーズに応え、自分に合った複数分野の専門技術を身につけられる。

資格：選択したコースにより異なる

職種：機械製品設計・製造、金属製品設計・製造、設計事務所の製図、電気設備、電気機器製造業など

《チャレンジプロダクト》
内容：体験訓練で、機械加工、金属加工など4分野の「ものづくり」にチャレンジした後、自分に合った専門分野を選択し、専門技術を深めていくコース。

職種：機械製品設計・製造業、金属製品設計・製造業、設計事務所の製図部門、電気設備業、電気機器製造業など

職業訓練校に入るには……

　高校や中学を卒業後そのまま職業訓練校に入学する人は直接、各専門校に申し込むのが一般的である。一般試験と推薦試験に分かれ、推薦試験では学校長の推薦が必要となる（社会人の場合は自己推薦）。それ以外の離職者などはハローワークからの応募となる。

学科試験科目

　試験内容、試験範囲は各都道府県や学校ごとに違うが、おもに学科試験と面接を課している。県によって職業適性検査も入学試験に含まれる場合もある。学科試験は国語と数学の両方を課す学校が多い。応募条件が『高等学校卒業者（卒業見込者）もしくは同等以上の学力を有するもの』と明記されている学校もある。

　たとえば、東京の普通課程では学力試験各50分（高校卒業程度の国語と数学）と面接、短期課程では筆記試験各30分（中学卒業程度の国語と数学）と面接が課せられる。

　岡山では、学力試験（国語、数学）と健康度調査、面接を課している。

　学校によってはホームページに過去の問題を掲載している学校もあるので、参考にできる。

公的職業訓練施設一覧

北海道　授業料：年額各118,800円（☆印は無料）

札幌高等技術専門学院
〒065-0027　札幌市東区北27条東16
TEL：011-781-5541　FAX：011-786-4441
URL：http://www.pref.hokkaido.lg.jp/kz/sps/
《精密機械科》2年　定員：20名
《金属加工科》2年　定員：20名
《電子工学科》2年　定員：30名
《電子印刷科》2年　定員：20名
《建築技術科》2年　定員：20名
《建築設備科》2年　定員：20名
《エクステリア技術科》1年　定員：20名
☆《エクステリア技術科（短期）》1年　定員：10名

函館高等技術専門学院
〒041-0801　函館市桔梗町435
TEL：0138-47-1121　FAX：0138-47-2013
URL：http://www.pref.hokkaido.lg.jp/kz/hks/index.htm
《機械技術科》2年　定員：20名
《建築技術科》2年　定員：20名
《自動車整備科》2年　定員：20名

旭川高等技術専門学院
〒078-8803　旭川市緑が丘東3条2-1-1
TEL：0166-65-6667　FAX：0166-65-5565
URL：http://www.pref.hokkaido.lg.jp/kz/ahs/
《電子工学科》2年　定員：20名
《建築技術科》2年　定員：20名
《自動車整備科》2年　定員：20名
《印刷デザイン科》2年　定員：20名
《色彩デザイン科》2年　定員：20名
《造形デザイン科》2年　定員：20名
☆《介護アシスト科（知的障がい者）》1年　定員：10名

北見高等技術専門学院
〒090-0826　北見市末広町356-1
TEL：0157-24-8024　FAX：0157-23-1053
URL：http://www.pref.hokkaido.lg.jp/kz/kts/index.htm
《電気工学科》2年　定員：20名
《電子機械科》2年　定員：20名
《自動車整備科》2年　定員：20名
《造形デザイン科》2年　定員：20名

室蘭高等技術専門学院
〒050-0083　室蘭市東町3-1-11
TEL：0143-44-3522　FAX：0143-45-0441
URL：http://www.pref.hokkaido.lg.jp/kz/mrs/index.htm
《機械科》1年　定員：20名
《溶接科》1年　定員：20名
☆《配管科（短期）》1年　定員：20名
☆《塗装科（短期）》1年　定員：20名

苫小牧高等技術専門学院
〒053-0052　苫小牧市新開町4-6-10
TEL：0144-55-7007　FAX：0144-55-7009
URL：http://www.pref.hokkaido.lg.jp/kz/tms/
《電気機器科》1年　定員：20名
《金属加工科》1年　定員：20名
《自動車整備科》1年　定員：30名
☆《エクステリア技術科（短期）》1年　定員：20名

帯広高等技術専門学院
〒080-2464　帯広市西24条北2-18-1
TEL：0155-37-2319　FAX：0155-37-2727
URL：http://www.pref.hokkaido.lg.jp/kz/ois/index.htm
《電気工学科》2年　定員：20名
《金属加工科》2年　定員：20名
《建築技術科》2年　定員：20名
《自動車整備科》2年　定員：20名
《造形デザイン科》2年　定員：20名

釧路高等技術専門学院
〒084-0915　釧路市大楽毛南1-2-51
TEL：0154-57-8011　FAX：0154-57-8013
URL：http://www.pref.hokkaido.lg.jp/kz/kss/
《電気工学科》2年　定員：20名
《建築技術科》2年　定員：20名
《自動車整備科》2年　定員：20名

北海道障害者職業能力開発校
〒073-0115　砂川市焼山60
TEL：0125-52-2774　FAX：0125-52-9177
URL：http://www.pref.hokkaido.lg.jp/kz/ssk/
☆《総合ビジネス科（障がい者）》1年　定員：20名
☆《建築デザイン科（障がい者）》1年　定員：20名
☆《プログラム設計科（障がい者）》2年　定員：20名
☆《CAD機械科（障がい者）》2年　定員：10名
☆《総合実務科（知的障がい者）》1年　定員：20名

青森県　授業料：年額各118,800円（☆印は無料）

青森高等技術専門校
〒030-0122　青森市大字野尻字今田43-1
TEL：017-738-5727　FAX：017-738-5004
URL：http://www.pref.aomori.lg.jp/sangyo/job/aogisen_top.html
《電気工学科》2年　定員：20名
《環境土木工学科》2年　定員：20名

弘前高等技術専門校
〒036-8253　弘前市大字緑ヶ丘1-9-1
TEL：0172-32-6805　FAX：0172-35-5104
URL：http://www6.ocn.ne.jp/˜hi-gisen/
《建築システム工学科》2年　定員：20名
《自動車システム工学科》2年　定員：20名

八戸工科学院
〒039-2246　八戸市桔梗野工業団地2-5-30
TEL：0178-28-6811　FAX：0178-28-6815
URL：http://www.jomon.ne.jp/˜koukag1/
《機械システム工学科》2年　定員：25名
《設備システム工学科》2年　定員：20名
《自動車システム工学科》2年　定員：30名
《制御システム工学科》2年　定員：25名

むつ高等技術専門校
〒035-0082　むつ市文京町31-1
TEL：0175-24-1234　FAX：0175-24-1250
URL：http://www.pref.aomori.lg.jp/soshiki/shoko/mu-gisen/toppege.html
《木造建築科》2年　定員：20名

障害者職業訓練校
〒036-8253　弘前市大字緑ヶ丘1-9-1
TEL：0172-36-6882　FAX：0172-36-7255
URL：http://www12.ocn.ne.jp/˜ao-jtsh/index2.html
☆《製版科（身体障がい者）》1年　定員：15名
☆《OA事務科（身体障がい者）》1年　定員：15名
☆《作業実務科（知的障がい者）》1年　定員：10名

岩手県　授業料：年額各118,800円（☆印は無料）

千厩高等技術専門校
〒029-0803　一関市千厩町千厩字神の田60-1
TEL：0191-52-2125　FAX：0191-53-2598
URL：http://www.pref.iwate.jp/info.rbz?nd=553&ik=3&pnp=17&pnp=63&pnp=553
《自動車システム科》2年　定員：20名

宮古高等技術専門校
〒027-0037　宮古市松山第8地割29-3
TEL：0193-62-5606　FAX：0193-64-6596
URL：http://www.pref.iwate.jp/info.rbz?nd=554&ik=3&pnp=17&pnp=63&pnp=554
《自動車システム科》2年　定員：15名
《金型技術科》1年　定員：10名

二戸高等技術専門校
〒028-6103　二戸市石切所字上野々92-1
TEL：0195-23-2227　FAX：0195-23-9081
URL：http://www.pref.iwate.jp/info.rbz?nd=555&ik=3&pnp=17&pnp=63&pnp=555
《自動車システム科》2年　定員：20名
《建築科》2年　定員：15名

大船渡職業能力開発センター
〒022-0003　大船渡市盛町字みどり町13-2
TEL：0192-26-2242　FAX：0192-27-5692
URL：http://www.pref.iwate.jp/info.rbz?nd=556&ik=3&pnp=17&pnp=63&pnp=556
《建築科（高卒コース）》1年　定員：10名
☆《建築科（中卒コース・短期）》1年　定員：10名

宮城県　授業料：年額各118,800円（☆印は無料）

白石高等技術専門校
〒989-1102　白石市白川津田字新寺前5-1
TEL：0224-35-1511　FAX：0224-27-2110
URL：http://www.pref.miyagi.jp/srkogsn/
《プログラムエンジニア科》2年　定員：20名
《通信システムエンジニア科》2年　定員：20名
《オフィスビジネス科》1年　定員：20名

仙台高等技術専門校
〒983-0021　仙台市宮城野区田子1-4-1
TEL：022-258-1151　FAX：022-258-5152
URL：http://www.pref.miyagi.jp/sd-kougi/
《電気科》1年　定員：20名
《設備工事科》1年　定員：20名
《建築製図科》1年　定員：20名
《塗装施工科》1年　定員：20名
《広告看板科》1年　定員：20名
《ファッションビジネス科》1年　定員：20名
《インテリア・サービス科》1年　定員：10名
《自動車整備科》2年　定員：20名
《機械エンジニア科》2年　定員：15名
《電子制御システム科》2年　定員：20名
☆《建築塗装科（短期）》1年　定員：10名

大崎高等技術専門校
〒989-6134　大崎市古川米倉字上屋敷51
TEL：0229-22-1357　FAX：0229-22-8627
URL：http://www.pref.miyagi.jp/oskogi/
《電気科》1年　定員：15名
《建築科》1年　定員：15名
☆《電気科（短期）》1年　定員：5名

石巻高等技術専門校
〒986-0853　石巻市門脇字青葉西27-1

TEL：0225-22-1719　FAX：0225-94-7399
URL：http://www.pref.miyagi.jp/is-kougi/
《金属加工科》1年　定員：20名
《自動車整備科》2年　定員：20名

気仙沼高等技術専門校
〒988-0812　気仙沼市大峠山1-174
TEL：0226-22-7068
URL：http://www.pref.miyagi.jp/ks-kougi/
《オフィスビジネス科》1年　定員：15名
《自動車整備科》2年　定員：15名

宮城障害者職業能力開発校
〒981-0911　仙台市青葉区台原5-15-1
TEL：022-233-3124　FAX：022-233-3125
URL：http://www.pref.miyagi.jp/miyashou/
☆《総合実務科（知的障がい者）》1年　定員：30名
☆《OAビジネス科（身体障がい者）》1年　定員：10名
☆《情報システム科（身体障がい者）》1年　定員：10名
☆《デジタルデザイン科（身体障がい者）》1年　定員：10名

秋田県　授業料：年額各118,800円

鷹巣技術専門校
〒018-3301　北秋田市綴子字街道下191
TEL：0186-62-1626　FAX：0186-62-3923
URL：http://www.pref.akita.lg.jp/icity/browser?ActionCode=genlist&GenreID=1000000001040
《建築工芸科》2年　定員：20名
《自動車整備科》2年　定員：20名

秋田技術専門校
〒010-1623　秋田市新屋町字砂奴寄4-53
TEL：018-895-7166　FAX：018-895-7061
URL：http://www.pref.akita.lg.jp/icity/browser?ActionCode=genlist&GenreID=1000000001041
《自動車整備科》2年　定員：20名
《情報システム科》2年　定員：20名
《メカトロニクス科》2年　定員：20名
《オフィスビジネス科》2年　定員：20名

大曲技術専門校
〒014-0052　大仙市大曲川原町2-30
TEL：0187-62-2457　FAX：0187-62-3495
URL：http://www.pref.akita.lg.jp/icity/browser?ActionCode=genlist&GenreID=1000000001042
《建築施工科》2年　定員：20名
《機械システム科》2年　定員：20名
《電気システム科》2年　定員：20名
《色彩デザイン科》2年　定員：20名

山形県　授業料：年額各118,800円（☆印は無料）

山形職業能力開発専門校
〒990-2473　山形市松栄2-2-1
TEL：023-644-9227　FAX：023-644-6850
URL：http://www.yamagatanoukai.jp/
《自動車科》2年　定員：25名
《建設技術科》2年　定員：20名

庄内職業能力開発センター
〒998-0102　酒田市京田3-57-4
TEL：0234-31-2700　FAX：0234-31-2710
URL：http://www.shonai-cit.ac.jp/center/index.htm
☆《金属技術科》1年　定員：20名

福島県　授業料：年額各118,800円

テクノアカデミー会津　能力開発校
〒969-3534　喜多方市塩川町遠田字沼上1900
TEL：0241-27-3221　FAX：0241-27-3312
URL：http://www.tc-aizu.ac.jp/
《自動車整備科》2年　定員：20名
《電気配管設備科》2年　定員：30名

テクノアカデミー郡山　能力開発校
〒963-8816　郡山市上野山5
TEL：024-944-1663
URL：http://www.tck.ac.jp/
《建築科》2年　定員：20名

テクノアカデミー浜　能力開発校
〒975-0036　南相馬市原町区萱浜字巣掛場45-112
TEL：0244-26-1555　FAX：0244-26-1550
URL：http://www.tc-hama.ac.jp/
《機械技術科》2年　定員：15名
《建築科》2年　定員：15名
《自動車整備科》2年　定員：20名

茨城県　授業料：年額各118,800円（☆印は無料）

水戸産業技術専門学院
〒311-1131　水戸市下大野町6342
TEL：029-269-2160　FAX：029-269-1040
URL：http://www.ibaraki-it.ac.jp/gakuin/
《自動車整備科》2年　定員：30名
《建築システム科》2年　定員：25名

日立産業技術専門学院
〒316-0032　日立市西成沢町3-9-1
TEL：0294-35-6449　FAX：0294-36-0454
URL：http://business2.plala.or.jp/hitagise/

《電気工事科》1年　定員：20名
《金属加工科》1年　定員：20名

鹿島産業技術専門学院
〒311-2223　鹿嶋市大字林572-1
TEL：0299-69-1171　FAX：0299-69-6455
URL：http://business2.plala.or.jp/kasigise/
☆《金属加工科》1年　定員：20名
《電気工事科》1年　定員：20名
《木造建築科》1年　定員：10名
《機械・CAD科》1年　定員：20名
《測量・設計科》1年　定員：10名

土浦産業技術専門学院
〒300-0849　土浦市中村西根番外50-179
TEL：029-841-3551　FAX：029-841-4465
URL：http://www.t-gakuin.ac.jp/
《機械技術科》2年　定員：20名
《情報技術科》2年　定員：20名
《自動車整備科》2年　定員：20名
《コンピュータ制御科》2年　定員：20名

筑西産業技術専門学院
〒308-0847　筑西市玉戸1336-54
TEL：0296-24-1714　FAX：0296-25-6071
URL：http://www.pref.ibaraki.jp/bukyoku/syoukou/shsangi/
《機械システム科》2年　定員：20名
《電気工事科》1年　定員：20名
☆《溶接科》1年　定員：20名

古河産業技術専門学院
〒306-0126　古河市諸川1844
TEL：0280-76-0049　FAX：0280-76-9861
URL：http://business2.plala.or.jp/sangisen/
《自動車整備科》2年　定員：20名
☆《板金科》1年　定員：20名

栃木県　授業料：年額各237,600円（☆印は無料）

栃木県産業技術大学校（及び県央高等産業技術学校）
〒321-0905　宇都宮市平出工業団地48-4
TEL：028-689-6374　FAX：028-689-6377
URL：http://www.tochigi-it.ac.jp/
《機械技術科》2年　定員：40名
《制御システム科》2年　定員：20名
《自動車整備科》2年　定員：20名
《建築設備科》2年　定員：20名
《情報ネットワーク科》2年　定員：20名

☆《金属加工科》2年　定員：20名
☆《電気工事科》2年　定員：20名
☆《木造建築科》2年　定員：20名

群馬県　授業料：年額各118,800円（☆印は無料）

前橋産業技術専門校
〒371-0006　前橋町石関町124-1
TEL：027-230-2211　FAX：027-269-7654
URL：http://www.maetech.ac.jp/index.htm
《生産技術科》2年　定員：20名
《電気技術科》2年　定員：20名
《CAD設計科》1年　定員：20名
☆《金属技術科（短期）》1年　定員：20名
☆《サービス実務科（知的障がい者・短期）》1年　定員：15名

高崎産業技術専門校
〒370-1213　高崎市山名町1268
TEL：027-320-2221　FAX：027-347-1210
URL：http://www.takatech.ac.jp/
《溶接技術科》2年　定員：20名
《機械技術科》2年　定員：20名
☆《塗装科（短期）》1年　定員：20名
☆《自動車整備科（短期）》1年　定員：20名
☆《エクステリア科（短期）》1年　定員：20名
☆《インテリア木工科（短期）》1年　定員：20名

太田産業技術専門校
〒373-0032　太田市新野町157-1
TEL：0276-31-1776　FAX：0276-31-1860
FAX：http://www.otatech.ac.jp/
《自動車整備科》2年　定員：20名
《機械システム科》2年　定員：20名
《電気システム科》2年　定員：20名
《CAD設計科》1年　定員：20名
☆《溶接科（短期）》1年　定員：20名

埼玉県　授業料：年額各118,800円（☆印は無料）

職業能力開発センター
〒331-0825　さいたま市北区櫛引町2-499-11
TEL：048-651-3122　FAX：048-651-3114
URL：http://www.pref.saitama.lg.jp/A07/BC30/
《OA経理科》1年　定員：20名

中央高等技術専門校
〒362-0053　上尾市戸崎975
TEL：048-781-3241　FAX：048-781-8990
URL：http://www.pref.saitama.lg.jp/A07/BC11/

《機械制御システム科》2年　定員：25名
《建築デザイン科》2年　定員：25名
《設備システム科》2年　定員：25名
《情報制御システム科》2年　定員：25名

川口高等技術専門校
〒332-0031　川口市青木4-4-22
TEL：048-251-4481　FAX：048-251-4003
URL：http://www.pref.saitama.lg.jp/A07/BC01/
《情報処理科》2年　定員：30名
《空調システム科》2年　定員：15名

川越高等技術専門校
〒350-0023　川越市並木572-1
TEL：049-235-7070　FAX：049-235-7071
URL：http://www.kawagoe.ac.jp/
《金属加工技術科》2年　定員：20名
《木工工芸科》1年　定員：30名
《電気工事科》1年　定員：30名

熊谷高等技術専門校
〒360-0842　熊谷市新堀新田522
TEL：048-532-6559　FAX：048-532-3598
URL：http://www.pref.saitama.lg.jp/A07/BC06/
《自動車整備科》2年　定員：25名
《木造建築科》2年　定員：20名
☆《機械科（デュアルシステム）》1年　定員：20名

熊谷高等技術専門校　秩父分校
〒368-0035　秩父市上町3-21-7
TEL：0494-22-1948　FAX：0494-21-1035
URL：http://www.pref.saitama.lg.jp/A07/BC09/
《電気工事科》1年　定員：20名

春日部高等技術専門校
〒344-0036　春日部市下大増新田61-1
TEL：048-737-3511　FAX：048-737-3512
URL：http://www.pref.saitama.lg.jp/A07/BC07/
《自動車整備科》2年　定員：25名
《金属加工科》1年　定員：20名
《電気設備管理科》1年　定員：30名

千葉県　授業料：年額各118,800円（☆印は無料）

市原高等技術専門校
〒290-0053　市原市平田981-1
TEL：0436-22-0403　FAX：0436-22-0436
URL：http://www.h7.dion.ne.jp/~ichigi/
《自動車整備科》2年　定員：23名

《電気工事科》1年　定員：30名
《プラント保全科》1年　定員：20名
☆《塗装科（短期）》1年　定員：20名

船橋高等技術専門校
〒273-0014　船橋市高瀬町31-7
TEL：047-433-2790　FAX：047-433-2791
URL：http://www10.ocn.ne.jp/~funa-gi/index.html
《メカニカルエンジニア科》2年　定員：20名
《システム設計科》2年　定員：20名
《冷凍空調設備科》1年　定員：20名

我孫子高等技術専門校
〒270-1163　我孫子市久寺家684-1
TEL：04-7184-6411
URL：http://www2.ocn.ne.jp/~abkgisen/
《NC機械加工科》1年　定員：20名
《造園科》1年　定員：20名
☆《事務実務科（知的障がい者）》1年　定員：10名

旭高等技術専門校
〒289-2505　旭市鎌数5146
TEL：0479-62-2508　FAX：0479-63-7952
URL：http://www16.ocn.ne.jp/~asa-gi/
《自動車整備科》2年　定員：20名
《NC機械加工科》1年　定員：15名

東金高等技術専門校
〒283-0804　東金市油井1061-6
TEL：0475-52-3148　FAX：0475-52-3087
URL：http://www15.ocn.ne.jp/~tougane/
《ディスプレイ科》2年　定員：20名
☆《建築科（短期）》1年　定員：30名

障害者高等技術専門校
〒266-0014　千葉市緑区大金沢町470
TEL：043-291-7744　FAX：043-291-7745
URL：http://www4.ocn.ne.jp/~shogisen/
☆《DTP・Webデザインコース（障がい者）》1年　定員：10名
☆《福祉住環境デザインコース（障がい者）》1年　定員：10名
☆《PCビジネスコース（障がい者）》1年　定員：30名
☆《基礎実務コース（障がい者）》1年　定員：20名

東京都　授業料：年額各115,200円（☆印は無料）

中央・城北職業能力開発センター
〒112-0004　文京区後楽1-9-5
TEL：03-5800-2611　FAX：03-5800-3241

URL：http://www.hataraku.metro.tokyo.jp/vsdc/chuo/index.html
《OAシステム開発科》1年　定員：30名
《パソコングラフィック科》1年　定員：30名

中央・城北職業能力開発センター　板橋校
〒174-0041　板橋区舟渡2-2-1
TEL：03-3966-4131　FAX：03-3966-3161
URL：http://www.hataraku.metro.tokyo.jp/vsdc/itabashi/index.html
《自動車車体整備科》2年　定員：30名
《コンピューター制御システム科》1年　定員：30名
《サイン・ディスプレイ科》1年　定員：30名
《機械加工科》2年　定員：25名

中央・城北職業能力開発センター　赤羽校
〒115-0056　北区西が丘3-7-8
TEL：03-3909-8333　FAX：03-3906-2544
URL：http://www.hataraku.metro.tokyo.jp/vsdc/akabane/index.html
《電気工事科》1年　定員：30名
《環境空調サービス科》1年　定員：30名
《測量設計科》1年　定員：20名
《Web設計科》1年　定員：30名

城南職業能力開発センター
〒140-0002　品川区東品川3-31-16
TEL：03-3472-3411　FAX：03-3450-1864
URL：http://www.hataraku.metro.tokyo.jp/vsdc/jonan/index.html
《インテリアサービス科》1年　定員：30名
《木工技術》1年　定員：30名
《電気工事》1年　定員：30名
《OAシステム開発科》1年　定員：30名
☆《若年者修業支援 福祉サービスコース（短期）》1年　定員：15名
☆《実務作業（知的障がい者）》1年　定員：20名

城南職業能力開発センター　大田校
〒144-0044　大田区本羽田3-4-30
TEL：03-3744-1013　FAX：03-3745-6950
URL：http://www.hataraku.metro.tokyo.jp/vsdc/ohta/index.html
《メカニカルデザイン科》2年　定員：30名
《金型加工科》1年　定員：25名
《三次元CAD・CAMモデル科》1年　定員：30名
《広告美術》1年　定員：30名

城東職業能力開発センター
〒136-0071　江東区亀戸9-6-27
TEL：03-3683-0341　FAX：03-3684-6076
URL：http://ww.hataraku.metro.tokyo.jp/vsdc/joto/index.html
《建築設備設計科》1年　定員：30名
《アパレルパタンナー科》1年　定員：30名

城東職業能力開発センター　江戸川校
〒132-0021　江戸川区中央2-31-27
TEL：03-5607-3681　FAX：03-5607-4816
URL：http://www.hataraku.metro.tokyo.jp/vsdc/edogawa/index.html
《メカトロニクス科》2年　定員：30名
《自動車整備工学科》2年　定員：30名
《機械加工科》2年　定員：30名
《環境分析科》1年　定員：30名

城東職業能力開発センター　足立校
〒120-0005　足立区綾瀬5-6-1
TEL：03-3605-6146　FAX：03-3605-6124
URL：http://www.hataraku.metro.tokyo.jp/vsdc/adachi/index.html
《電気工事科》1年　定員：30名
《ネットワークプログラミング科》1年　定員：30名
《木工技術科》1年　定員：30名
☆《若年者就業支援 塗装コース（短期）》1年　定員：30名

城東職業能力開発センター　台東分校
〒111-0033　台東区花川戸1-14-16
TEL：03-3843-5911　FAX：03-3843-8629
URL：http://www.hataraku.metro.tokyo.jp/vsdc/taitou/index.html
《製くつ科》1年　定員：20名

多摩職業能力開発センター
〒190-0021　立川市羽衣町3-29-26
TEL：042-522-6151　FAX：042-523-4288
URL：http://www.hataraku.metro.tokyo.jp/vsdc/tama/index.html
《自動車塗装科》1年　定員：30名
《NC加工科》1年　定員：30名
《電気機器科》1年　定員：30名
《建築設備科》1年　定員：30名
☆《若年者就業支援科 自動車整備コース（短期）》1年　定員：30名

多摩職業能力開発センター　八王子校
〒193-0931　八王子市台町1-11-1
TEL：042-622-8201　FAX：042-625-9734
URL：http://www.hataraku.metro.tokyo.jp/vsdc/

hachioji/index.html
《自動車整備工学科》2年　定員：30名
《メカトロニクス科》2年　定員：30名
《電気設備システム科》1年　定員：30名

多摩職業能力開発センター　武蔵野校
〒180-0022　武蔵野市境5-27-19
TEL：0422-53-6700　FAX：0422-56-2397
URL：http://www.hataraku.metro.tokyo.jp/vsdc/musashino/index.html
《電気工事科》1年　定員：30名
《建築設計科》1年　定員：30名
《溶接造形科》1年　定員：30名

多摩職業能力開発センター　府中校
〒183-0026　府中市南町4-37-2
TEL：042-367-8201　FAX：042-367-8205
URL：http://www.hataraku.metro.tokyo.jp/vsdc/fuchu/index.html
《組みシステム技術科》1年　定員：30名
《電気設備技術科》1年　定員：30名

東京障害者職業能力開発校
〒187-0035　小平市小川西町2-34-1
TEL：042-341-1411　FAX：042-341-1451
URL：http://www.hataraku.metro.tokyo.jp/school/handi/index.html
☆《情報システム科（身体障がい者）》2年　定員：15名
☆《ビジネス経理科（身体障がい者）》1年　定員：15名
☆《ビジネス文書科（身体障がい者）》1年　定員：15名
☆《ビジネス養成科（身体障がい者）》1年　定員：10名
☆《医療総合事務科（身体障がい者）》1年　定員：15名
☆《介護保険事務科（身体障がい者）》1年　定員：15名
☆《カラーDTP科（身体障がい者）》1年　定員：15名
☆《編集デザイン科（身体障がい者）》1年　定員：15名
☆《機械製図科（身体障がい者）》1年　定員：10名
☆《CADオペレータ科（身体障がい者）》1年　定員：10名
☆《スキルワーク科 製品モデリングコース・製品塗装コース（身体障がい者）》1年　定員：20名
☆《スキルワーク科 製パンコース（身体障がい者）》1年　定員：15名
☆《実務作業科（知的障がい者）》1年　定員：40名
☆《OA実務科（重度視覚障がい者）》1年　定員：5名

神奈川県　授業料：年額各118,800円（☆印は無料）

東部総合職業技術校
〒230-0034　横浜市鶴見区寛政町28-2
TEL：045-504-2800　FAX：045-504-2801
URL：http://www.pref.kanagawa.jp/osirase/06/1467/index.html
《自動車整備コース》2年　定員：30名
《建築設計コース》1年　定員：20名
《造園コース》1年　定員：30名
《コンピュータ組込み開発コース》2年　定員：30名
《電気コース》1年　定員：20名
《3次元CAD＆モデリングコース》1年　定員：20名
《マシニング＆CAD／CAMコース》1年　定員：20名
☆《セレクトプロダクトコース》1年　定員：15名
☆《チャレンジプロダクトコース》1年　定員：15名

平塚高等職業技術校
〒254-0016　平塚市東八幡4-19-4
TEL：0463-23-1922　FAX：0463-23-1987
URL：http://www.pref.kanagawa.jp/osirase/06/1457/index.html
《室内設計施工コース》1年　定員：20名
《木材加工コース》1年　定員：20名
☆《金属加工コース》1年　定員：12名

藤沢高等職業技術校
〒251-0015　藤沢市川名290-2
TEL：0466-25-2425　FAX：0466-26-5124
URL：http://www.pref.kanagawa.jp/osirase/06/1446/index.html
《コンピュータ組込み開発コース》2年　定員：30名

秦野高等職業技術校
〒257-0031　秦野市曽屋1210
TEL：0463-81-0870　FAX：0463-83-5922
URL：http://www.pref.kanagawa.jp/osirase/06/1449/index.html
《マシニング＆Cad/Camコース》1年　定員：10名
《電気コース》1年　定員：30名
《自動車整備コース》2年　定員：30名
☆《選択型プロダクト》1年　定員：10名

神奈川障害者職業能力開発校
〒228-0815　相模原市桜台13-1
TEL：042-744-1243　FAX：042-740-1497
URL：http://www.pref.kanagawa.jp/osirase/06/1460/index.html
☆《加工技術コース（身体障がい者）》2年　定員：10名
☆《CAD製図コース（身体障がい者）》1年　定員：10名
☆《ITエンジニアコース（身体障がい者）》2年　定員：10名
☆《グラフィックアーツコース（身体障がい者）》1年　定員：20名
☆《OAシステムコース（身体障がい者）》2年　定員：10名

☆《OAビジネスコース（身体障がい者）》1年　定員：15名
☆《オフィスインフォメーションコース（視覚障がい者）》1年　定員：5名
☆《総合実務コース（知的障がい者）》1年　定員：30名

新潟県　授業料：年額各59,400円（☆印は無料）

新潟テクノスクール
〒950-0915　新潟市中央区鐙西1-11-2
TEL：025-247-7361　FAX：025-247-7363
URL：http://www.techno.ac.jp/xoops/modules/niigata/index.php?content_id=127
《NC機械科》2年　定員：20名
《電気システム科》2年　定員：20名
《自動車整備科（高卒者）》2年　定員：10名
《自動車整備科（若年未就職者）》2年　定員：10名
☆《総合実務科（知的障がい者）》1年　定員：20名
☆《ワークサポート科（発達障がい者）》1年　定員：10名

上越テクノスクール
〒943-0171　上越市藤野新田333-2
TEL：025-545-2190　FAX：025-545-2193
URL：http://www.techno.ac.jp/xoops/modules/joetsu/index.php?content_id=30
《自動車整備科》2年　定員：25名
《メカトロニクス科》2年　定員：20名
《ビジネススタッフ科》1年　定員：25名

三条テクノスクール
〒955-0024　三条市柳沢353-2
TEL：0256-38-8520　FAX：0256-38-8220
URL：http://www.techno.ac.jp/xoops/modules/sanjo/index.php?content_id=44
《メカトロニクス科》2年　定員：20名
《工業デザイン科》2年　定員：20名
☆《生産システム科》2年　定員：20名

魚沼テクノスクール
〒949-7413　魚沼市堀之内3335-1
TEL：025-794-2410
URL：http://www.techno.ac.jp/xoops/modules/uonuma/index.php?content_id=10
☆《木造建築科》2年　定員：20名
《電気施設科》1年　定員：10名

富山県　授業料：年額各64,800円

富山県技術専門学院
〒930-0916　富山市向新庄町1-14-48
TEL：076-451-8802　FAX：076-451-8842
URL：http://www.gisen-toyama.ac.jp/
《自動車整備科》2年　定員：20名
《メカトロニクス科》2年　定員：20名
《電子情報科》2年　定員：20名

石川県　授業料：無料

金沢産業技術専門校
〒920-0352　金沢市観音堂町チ9
TEL：076-267-2221　FAX：076-267-2295
URL：http://www.syokunou-p.pref.ishikawa.jp/shisetu/seni25.html
《総合建築科》2年　定員：20名
《メカトロニクス科》2年　定員：20名
《産業デザイン科（商業デザイン）》1年　定員：10名
《産業デザイン科（工芸デザイン）》1年　定員：10名
《電気工事科》1年　定員：20名

七尾産業技術専門校
〒926-0853　七尾市津向町ヘ34
TEL：0767-52-3159　FAX：0767-52-4697
URL：http://www.syokunou-p.pref.ishikawa.jp/shisetu/seni24.html
《自動車整備科》2年　定員：30名
《計測制御技術科》1年　定員：10名

石川障害者職業能力開発校
〒921-8836　石川郡野々市町末松2-245
TEL：076-248-2235　FAX：076-248-2236
URL：http://www.syokunou-p.pref.ishikawa.jp/shisetu/seni27.html
《機械製図科（障がい者）》1年　定員：10名
《電子機器科（障がい者）》1年　定員：10名
《製版科（障がい者）》1年　定員：10名
《陶磁器製造科（障がい者）》1年　定員：10名
《一般事務科（障がい者）》1年　定員：20名
《生産実務科（知的障がい者）》1年　定員：20名

福井県　授業料：無料

福井産業技術専門学院
〒910-0829　福井市林藤島町20-1-3
TEL：0776-52-2120　FAX：0776-52-2121
URL：http://www.nouryokukaihatu.ac.jp/fukui/gakuintop.html

《自動車整備科》2年　定員：25名
《生産システム設備科》1年　定員：15名
《ビジネスCAD科》1年　定員：20名
《自動車板金塗装科》1年　定員：10名
《金属ものづくり科》1年　定員：10名

敦賀産業技術専門学院
〒914-0037　敦賀市道口19-2-1
TEL：0770-22-0143　FAX：0770-22-0164
URL：http://www.nouryokukaihatu.ac.jp/tsuruga/index.html
《溶接技術科》1年　定員：10名
《電気技術科》1年　定員：10名

山梨県　授業料：無料（●印は年額390,000円）

都留高等技術専門校
〒402-0006　都留市小形山1
TEL：0554-43-8911　FAX：0554-43-8912
URL：http://www.pref.yamanashi.jp/kgisen-tr/index.html
《OAビジネス科》1年　定員：20名
《電気システム科》1年　定員：20名

峡南高等技術専門校
〒400-0501　南巨摩郡増穂町青柳町3492
TEL：0556-22-3171　FAX：0556-22-3172
URL：http://www.pref.yamanashi.jp/kgisen-kn/index.html
《自動車整備科》2年　定員：20名
《建築科》1年　定員：20名

宝石美術専門学校
〒400-0808　甲府市東光寺町1955-1
TEL：055-232-6671　FAX：055-233-6357
URL：http://jewelry-it.ac.jp/index.html
●《ジュエリー学科》2年　定員：50名

長野県　授業料：年額各118,800円

長野技術専門校
〒388-8011　長野市篠ノ井布施五明755-2
TEL：026-292-2341　FAX：026-292-2342
URL：http://www.pref.nagano.jp/xsyoukou/nagagi/
《機械加工科》1年　定員：20名
《電気工事科》1年　定員：20名
《画像処理印刷科》1年　定員：20名
《木造建築科》1年　定員：20名

松本技術専門校
〒399-0011　松本市寿北7-16-1
TEL：0263-58-3158　FAX：0263-85-1412
URL：http://www.pref.nagano.jp/xsyoukou/matsugi/
《電気システム科》2年　定員：20名
《自動車整備科》2年　定員：25名
《建築科》2年　定員：20名
《建築設備科》2年　定員：20名

岡谷技術専門校
〒394-0004　岡谷市神明町2-1-36
TEL：0266-22-2165　FAX：0266-21-1000
URL：http://www.pref.nagano.jp/xsyoukou/okagi/
《ものづくり技術科》1年　定員：10名

飯田技術専門校
〒395-0823　飯田市松尾明7508-3
TEL：0265-22-1067　FAX：0265-22-1015
URL：http://www.pref.nagano.jp/xsyoukou/iidagi/top
《自動車整備科》2年　定員：20名
《木造建築科》1年　定員：20名

伊那技術専門校
〒399-4511　上伊那郡南箕輪村8304-190
TEL：0265-72-2464　FAX：0265-72-2064
URL：http://www.inagisen.ac.jp/
《メカトロニクス科》2年　定員：20名
《情報システム科》2年　定員：10名

佐久技術専門校
〒385-0042　佐久市高柳346-4
TEL：0267-62-0549　FAX：0267-62-6476
URL：http://www.pref.nagano.jp/xsyoukou/sakugi/
《生産システム科加工・設計コース》1年　定員：10名
《生産システム科設計・制御コース》1年　定員：10名
《生産システム科制御・加工コース》1年　定員：10名

上松技術専門校
〒399-5607　木曽郡上松町小川3540
TEL：0264-52-3330　FAX：0264-52-2079
URL：http://www.pref.nagano.jp/xsyoukou/agegi/index.htm
《木工科》1年　定員：20名
《木材造形科》1年　定員：20名

岐阜県　授業料：無料

国際たくみアカデミー　職業能力開発校
〒505-0004　美濃加茂市蜂屋町上蜂屋3545-3
TEL：0574-25-2423　FAX：0574-25-2489

URL：http://www.pref.gifu.lg.jp/pref/s23202/itaf/index.htm
《自動車エンジニア科》2年　定員：20名
《設備システム科》1年　定員：10名
《住宅建築科》1年　定員：20名

木工芸術スクール
〒506-0057　高山市匠ヶ丘町1-123
TEL：0577-32-1143　FAX：0577-32-1929
URL：http://www.pref.gifu.lg.jp/pref/s23206/index.htm
《木工コース》1年　定員：20名
《建築コース》1年　定員：10名

静岡県　授業料：年額各118,800円（☆印は無料）

沼津テクノカレッジ
〒410-0022　沼津市大岡4044-24
TEL：055-925-1071　FAX：055-925-1115
URL：http://www.numazu-vtc.ac.jp/
《機械技術科》2年　定員：20名
《電子技術科》2年　定員：20名
《情報技術科》2年　定員：20名

清水テクノカレッジ
〒424-0881　静岡市清水区楠160
TEL：054-345-2032　FAX：054-345-2921
URL：http://www.shimizu-tc.ac.jp/
《機械技術科》2年　定員：20名
《電気技術科》2年　定員：20名
《設備技術科》2年　定員：20名

浜松テクノカレッジ
〒435-0056　浜松市東区小池町2444-1
TEL：053-462-5600　FAX：053-462-5604
URL：http://www.hamamatsu-tech.ac.jp/
《機械技術科》1年　定員：20名
《建築科》1年　定員：20名

あしたか職業訓練校
〒410-0301　沼津市宮本5-2
TEL：055-924-4380　FAX：055-924-7758
URL：http://www.pref.shizuoka.jp/sangyou/sa-230/asitaka/
☆《コンピューター科（身体障がい者）》1年　定員：10名
☆《生産・サービス科（知的障がい者）》1年　定員：40名

愛知県　授業料：年額各60,000円（☆印は無料）

名古屋高等技術専門校
〒462-0023　名古屋市北区安井2-4-48
TEL：052-917-6711　FAX：052-917-6331
URL：http://www.pref.aichi.jp/shugyo/koukyou/nagoya/index.html
《システム設計科》2年　定員：30名
《建築デザイン科》2年　定員：20名

岡崎高等技術専門校
〒444-0802　岡崎市美合町字平端24
TEL：0564-51-0775　FAX：0564-52-4568
URL：http://www.pref.aichi.jp/shugyo/koukyou/okazaki/index.html
《メカトロニクス科》2年　定員：20名

東三河高等技術専門校
〒441-1231　豊川市一宮町上新切33-4
TEL：0533-93-2018　FAX：0533-93-4267
URL：http://www.pref.aichi.jp/shugyo/koukyou/higasimi/index.html
《木造建築科》2年　定員：20名

春日台職業訓練校
〒480-0304　春日井市神屋町713-8
TEL：0568-88-0811　FAX：0568-88-0948
URL：http://www.pref.aichi.jp/0000009661.html
☆《機械科（知的障がい者）》1年　定員：20名
☆《縫製科（知的障がい者）》1年　定員：20名
☆《木工科（知的障がい者）》1年　定員：20名
☆《陶磁器科（知的障がい者）》1年　定員：20名
☆《紙器製造科（知的障がい者）》1年　定員：20名

愛知障害者職業能力開発校
〒441-1231　豊川市一宮町上新切33-14
TEL：0533-93-2102　FAX：0533-93-6554
URL：http://www.pref.aichi.jp/shugyo/koukyou/shogaisha/index.html
☆《情報システム科（障がい者）》1年　定員：20名
☆《OAビジネス科（障がい者）》1年　定員：30名
☆《CAD設計科　機械コース（障がい者）》1年　定員：15名
☆《CAD設計科　建築コース（障がい者）》1年　定員：15名
☆《デザイン科Webコース（障がい者）》1年　定員：20名
☆《デザイン科DTPコース（障がい者）》1年　定員：10名
☆《総合実務科（知的障がい者）》1年　定員：15名

三重県 授業料：年額各115,200円（☆印は無料）

津高等技術学校
〒514-0817　津市高茶屋小森町1176-2
TEL：059-234-2839　FAX：059-234-3668
URL：http://www.tcp-ip.or.jp/~tsutech/
《機械制御システム科》2年　定員：20名
《電子制御情報科》2年　定員：15名
《自動車技術科》2年　定員：20名
《メタルクラフト科》2年　定員：15名
☆《建築施工科》1年　定員：10名
☆《OA事務科（身体障がい者）》1年　定員：10名

滋賀県 授業料：年額各118,800円

テクノカレッジ草津
〒525-0041　草津市青地町1093
TEL：077-564-3296　FAX：077-565-1867
URL：http://www.pref.shiga.jp/f/kusatsu-koto/index.html
《自動車整備科》2年　定員：20名
《コンピュータ制御科》1年　定員：20名

テクノカレッジ米原
〒521-0091　米原市岩脇411-1
TEL：0749-52-5300　FAX：0749-52-5396
URL：http://www.pref.shiga.jp/f/omi-koto/
《生産システム制御科》2年　定員：10名

京都府 授業料：無料（府外在住者は年額各118,800円）

京都高等技術専門校（及び京都障害者高等技術専門校）
〒612-8416　京都市伏見区竹田流池町121-3
TEL：075-642-4451　FAX：075-642-4452
URL：http://www.pref.kyoto.jp/kyokgs/index.html
《システム設計科》2年　定員：20名
《メカトロニクス科》2年　定員：20名
《機械加工システム科》2年／1年　定員：各10名
《建築科》1年　定員：20名
《総合実務科（知的障がい者）》1年　定員：20名

陶工高等技術専門校
〒605-0924　京都市東山区今熊野阿弥陀ヶ峰町17-2
TEL：075-561-2943　FAX：075-561-3429
URL：http://www.pref.kyoto.jp/tokgs/index.html
《陶磁器成形科》1年　定員：30名
《陶磁器図案科》1年　定員：20名
《陶磁器研究科》1年　定員：10名

福知山高等技術専門校
〒620-0813　福知山市南平野町90
TEL：0773-27-6212　FAX：0773-27-6213
URL：http://www.pref.kyoto.jp/fukukgs/index.html
《自動車整備科》2年　定員：20名
《IT・経理科》1年　定員：20名
《ものづくり基礎科》1年　定員：20名
《総合実務科（知的障がい者）》1年　定員：15名

城陽障害者高等技術専門校
〒610-0113　城陽市中芦原59
TEL：0774-54-3600　FAX：0774-56-0528
URL：http://www.pref.kyoto.jp/joskgs/index.html
《紙器製造科（知的障がい者）》1年　定員：10名

大阪府 授業料：無料

守口高等職業技術専門校
〒570-0083　守口市京阪本通2-11-18
TEL：06-6991-1868　FAX：06-6991-1846
URL：http://www.k5.dion.ne.jp/~tc-mori/
《建築設計製図科》1年　定員：20名
《インテリアリフォーム科》1年　定員：30名
《住環境設備科》1年　定員：20名
《木工科》1年　定員：30名
《建築大工科》1年　定員：20名

芦原高等職業技術専門校
〒556-0027　大阪市浪速区木津川2-3-15
TEL：06-6561-5383　FAX：06-6561-5318
URL：http://www.pref.osaka.jp/tc-ashihara/
《OAビジネス科（身体障害がい者）》1年　定員：10名

東大阪高等職業技術専門校
〒578-0984　東大阪市菱江6-9-10
TEL：072-964-8836　FAX：072-964-8904
URL：http://www.pref.osaka.jp/tc-hiosaka/
《金属加工科》2年　定員：20名
《機械科》2年　定員：30名
《電気工事科》1年　定員：30名

夕陽丘高等職業技術専門校
〒543-0002　大阪市天王寺区上汐4-4-1
TEL：06-6776-9900　FAX：06-6776-9930
URL：http://www6.ocn.ne.jp/~tc-yuhi/
《建築内装設計科》1年　定員：20名
《ワークアシスト科（知的障がい者）》1年　定員：20名

南大阪高等職業技術専門校
〒594-1144　和泉市テクノステージ2-3-5

TEL：0725-53-3005　FAX：0725-53-3015
URL：http://www.pref.osaka.jp/tc-miosaka/
《情報通信科》1年　定員：30名
《Webシステム開発科》1年　定員：30名
《環境分析科》1年　定員：30名
《電気設備管理科》1年　定員：30名
《空調設備科》1年　定員：30名
《自動車整備科》2年　定員：30名
《車体整備科》1年　定員：30名

大阪障害者職業能力開発校

〒590-0137　堺市南区城山台5-1-3
TEL：072-296-8311　FAX：072-296-8313
URL：http://www12.ocn.ne.jp/~tc-handi/
《OAビジネス科（身体障がい者）》1年　定員：20名
《CAD製図科（身体障がい者）》1年　定員：20名
《製版アート科（身体障がい者）》1年　定員：20名
《Webデザイン科（身体障がい者）》1年　定員：20年
《オフィス実践科（身体障がい者）》1年　定員：10名
《ワークサービス科（知的障がい者）》1年　定員：30名

兵庫県　授業料：無料（●印は、1年次無料、2年次199,000円）

姫路高等技術専門学院

〒670-0984　姫路市町坪108-3
TEL：079-298-0900
URL：http://www010.upp.so-net.ne.jp/himegi/
《建築施工技術コース》1年　定員：10名
《金属加工技術コース》1年　定員：10名
《塗装技術コース》1年　定員：10名
《住宅設備コース》1年　定員：15名
《木造建築コース》1年　定員：15名
《溶接コース》1年　定員：15名
《金属塗装コース》1年　定員：15名

神戸高等技術専門学院

〒651-2102　神戸市西区学園東町5-2
TEL：078-794-6630　FAX：078-794-6637
URL：http://www.kobe.kgs.ac.jp/
《機械加工技術コース》1年　定員：15名
《機械CADコース》1年　定員：20名
《電気制御コース》1年　定員：15名
《印刷加工コース》1年　定員：10名
《DTPコース》1年　定員：20名
《板金・溶接コース》1年　定員：30名
《インテリアリフォームコース》2年　定員：40名

兵庫県立但馬技術大学校

〒668-0051　豊岡市九日市上町660-5

TEL：0796-24-2233　FAX：0796-24-0875
URL：http://www.tajima.ac.jp/
●《自動車工学科》2年　定員：30名
●《建築工学科》2年　定員：30名
●《情報工学科》2年　定員：30名
●《機械制御工学科》2年　定員：20名

兵庫障害者職業能力開発校

〒664-0845　伊丹市東有岡4-8
TFI：072-782-3210　FAX：072-782-7081
URL：http://www.hyoushou.jp/
《OAシステム科（身体障がい者）》1年　定員：20名
《グラフィックアート科（身体障がい者）》1年　定員：20名
《情報ビジネス科（身体障がい者）》1年　定員：20名
《インテリアCAD科（身体障がい者）》1年　定員：15名
《総合実務科（知的障がい者）》1年　定員：15名

障害者高等技術専門学院

〒651-2134　神戸市西区曙町1070
TEL：078-927-3230　FAX：078-928-5512
URL：http://www.sgi.ac.jp/
《パソコンNC科（身体障がい者）》1年　定員：10名
《パソコンCAD科（身体障がい者）》1年　定員：10名
《ビジュアルデザイン科（身体障がい者）》1年　定員：10名
《情報サービス科（身体障がい者）》1年　定員：10名
《総合実務科（知的障がい者）》1年　定員：15名
《食品加工科（知的障がい者）》1年　定員：15名

奈良県　授業料：無料

高等技術専門校

〒636-0212　磯城郡三宅町石見440
TEL：0745-44-0565
URL：http://www.pref.nara.jp/dd_aspx_menuid-1755.htm
《ITシステム科》1年　定員：20名
《家具工芸科》1年　定員：20名
《建築科》1年　定員：20名
《住宅設備科》1年　定員：20名
《服飾ビジネス科》1年　定員：20名
《オフィスビジネス科》1年　定員：20名
《販売実務科（知的障がい者）》1年　定員：20名

和歌山県　授業料：年額各118,800円（☆印は無料）

和歌山産業技術専門学院

〒649-6261　和歌山市小倉90
TEL：073-477-1253　FAX：073-477-1254

URL：http://www4.ocn.ne.jp/~wasangi/
《自動車工学科》2年　定員：20名
《理容科》2年　定員：15名
《メカトロニクス科》2年　定員：15名
《情報技術科》1年　定員：10名
《建築工学科》1年　定員：20名
《デザイン木工科》2年　定員：15名
☆《総合実務科（知的障がい者）》1年　定員：20名

田辺産業技術専門学院
〒646-0011　田辺市新庄町1745-2
TEL：0739-22-2259　FAX：0739-22-3123
URL：http://www.pref.wakayama.lg.jp/prefg/060702/
《自動車工学科》2年　定員：15名
《観光ビジネス科》1年　定員：20名
《溶接板金科》1年　定員：20名

鳥取県　授業料：年額各111,600円（☆印は無料）

倉吉高等技術専門校
〒682-0018　倉吉市福庭町2-1
TEL：0858-26-2247　FAX：0858-26-2248
URL：http://www.pref.tottori.lg.jp/dd.aspx?menuid=64864
《コンピュータ制御科》2年　定員：10名
《コンピュータ制御科》1年　定員：10名
《土木システム科》1年　定員：15名
《木造建築科》1年　定員：20名
☆《総合実務科（知的障がい者）》1年　定員：15名

米子高等技術専門校
〒683-0851　米子市夜見町3001-8
TEL：0859-24-0371　FAX：0859-24-4094
URL：http://www.pref.tottori.lg.jp/dd.aspx?menuid=3637
《自動車整備科》2年　定員：25名
《デザイン科》1年　定員：20名
《設計・インテリア科》1年　定員：20名

島根県　授業料：年額各118,800円（☆印は無料）

松江高等技術校
〒690-0046　松江市乃木福富町733-2
TEL：0852-21-3673　FAX：0852-21-3723
URL：http://www.pref.shimane.lg.jp/matsue_gijutsu/
《建築科》1年　定員：10名
《ハウスアート科》1年　定員：10名
《庭園技術科》1年　定員：5名

出雲高等技術校
〒693-0043　出雲市長浜町3057-11
TEL：0853-28-2733　FAX：0853-28-2736
URL：http://www.pref.shimane.lg.jp/izumo_gijutsu/
《理容科》2年　定員：10名
《美容科》2年　定員：20名
《自動車工学科》2年　定員：15名
《土木工学科》2年　定員：10名
《設備工学科》2年　定員：10名
《ビジュアルデザイン科》1年　定員：10名
☆《介護サービス科（知的障がい者）》1年　定員：10名

浜田高等技術校
〒697-0062　浜田市熱田町470-1
TEL：0855-27-0457　FAX：0855-27-4027
URL：http://www.pref.shimane.lg.jp/hamada_gijutsu/
《OAシステム科》1年　定員：10名
《建築科》1年　定員：10名

益田高等技術校
〒698-0011　益田市染羽町2-20
TEL：0856-22-2450　FAX：0856-22-2451
URL：http://www.pref.shimane.lg.jp/masuda_gijutsu/
《OAシステム科》1年　定員：6名
☆《建築科》1年　定員：9名

岡山県　授業料：無料

南部高等技術専門校
〒710-0038　倉敷市新田3241
TEL：086-424-3311　FAX：086-424-3344
URL：http://www.pref.okayama.jp/soshiki/kakuka.html?sec_sec1=199&status=1
《精密機械科》2年　定員：10名
《建築設備科》2年　定員：20名
《溶接科》1年　定員：20名
《総合左官科》1年　定員：20名
《塗装科》1年　定員：20名
《造園施工管理者》1年　定員：10名
《木工実務科（知的障がい者）》1年　定員：10名

北部高等技術専門校
〒708-0841　津山市川崎953
TEL：0868-26-1125　FAX：0868-26-5294
URL：http://www.pref.okayama.jp/soshiki/kakuka.html?sec_sec1=200
《電気設備科》1年　定員：20名
《木造建築科》1年　定員：20名
《木工科》1年　定員：20名

北部高等技術専門校　美作校
〒707-0053　美作市安蘇345
TEL：0868-72-0453　FAX：0868-72-0492
URL：http://www.pref.okayama.jp/soshiki/kakuka.html?sec_sec1=201&status=1
《自動車工学科》2年　定員：20名
《自動車車体整備科》1年　定員：30名
《販売流通科》1年　定員：10名

広島県　授業料：年額各118,800円（☆印は無料）

広島高等技術専門校
〒733-0851　広島市西区田方2-25-1
TEL：082-273-2292　FAX：082-273-1777
URL：http://www9.ocn.ne.jp/~hiroko/
《電気設備科》1年　定員：20名
《建築インテリア科》1年　定員：20名
《板金加工科》1年　定員：20名

呉高等技術専門校
〒737-0003　呉市阿賀中央5-11-17
TEL：0823-71-8816　FAX：0823-71-8848
URL：http://www3.ocn.ne.jp/~kure_vts/
《溶接加工科》1年　定員：20名
《機械システム科》1年　定員：20名
《住宅リフォーム科》1年　定員：20名
《情報システム科》1年　定員：20名

福山高等技術専門校
〒720-0092　福山市山手町6-30-1
TEL：084-951-0260　FAX：084-951-0261
URL：http://www4.ocn.ne.jp/~fukusen/
《自動車整備科》2年　定員：20名
《機械システム科》1年　定員：20名
《電気設備科》1年　定員：20名
《情報システム科》1年　定員：20名
《溶接加工科》1年　定員：20名
《住宅リフォーム科》1年　定員：20名

三次高等技術専門校
〒728-0014　三次市十日市南6-14-1
TEL：0824-62-3439　FAX：0824-63-6888
URL：http://www3.ocn.ne.jp/~myskun34/
《自動車整備科》2年　定員：20名
《溶接加工科》1年　定員：20名
《建築インテリア科》1年　定員：20名

広島障害者職業能力開発校
〒734-0003　広島市南区宇品東4-1-23
TEL：082-254-1766　FAX：082-254-1716
URL：http://www4.ocn.ne.jp/~noukaihp/
☆《CAD技術科（身体障がい者）》2年　定員：15名
☆《情報システム科（身体障がい者）》2年　定員：10名
☆《Webデザイン科（身体障がい者）》2年　定員：名10
☆《オフィスビジネス科（身体障がい者）》1年　定員：20名
☆《OA事務科（身体障がい者）》1年　定員：20名
☆《総合実務科（知的障がい者）》1年　定員：30名

山口県　授業料：年額各118,800円

東部高等産業技術学校
〒745-0827　周南市瀬戸見町15-1
TEL：0834-28-2233
URL：http://www.pref.yamaguchi.lg.jp/cms/a15900/g-school/5workco1.html
《メカニカルデザイン科》1年　定員：10名
《機械加工科》2年　定員：20名
《自動車整備科》2年　定員：20名
《設備システム科》2年　定員：20名
《溶接科》1年　定員：20名

西部高等産業技術学校
〒752-0922　下関市千鳥ヶ丘町21-3
TEL：083-248-3505
URL：http://www.pref.yamaguchi.lg.jp/cms/a15900/g-school/5workco1.html
《自動車整備科》2年　定員：20名
《インテリア木工科》1年　定員：10名
《木造建築科》2年　定員：20名
《観光ビジネス科》1年　定員：20名
《左官・タイル施工科》1年　定員：20名

徳島県　授業料：無料

徳島テクノスクール
〒770-0053　徳島市南島田町2-25
TEL：088-631-1474　FAX：088-631-5987
URL：http://www1.pref.tokushima.jp/syoukou/techno/toku/
《電子機器科》1年　定員：15名
《金属技術科》1年　定員：15名
《インテリア木工科》1年　定員：15名
《理容科》2年　定員：15名
《美容科》2年　定員：30名

鳴門テクノスクール
〒772-0004　鳴門市撫養町木津字西小沖635-1
TEL：088-686-4752　FAX：088-686-3327

URL：http://www1.pref.tokushima.jp/syoukou/techno/naruto/indexf.html
《メカニカル技術科》1年　定員：20名
《塗装科》1年　定員：20名

阿南テクノスクール
〒779-1402　阿南市桑野町岡元109-1
TEL：0884-26-0250　FAX：0884-26-1121
URL：http://www1.pref.tokushima.jp/syoukou/techno/anan/top.html
《自動車整備科》2年　定員：20名

西部テクノスクール
〒779-4104　美馬郡つるぎ町貞光字東浦128-4
TEL：0883-62-3067　FAX：0883-62-3140
URL：http://www1.pref.tokushima.jp/syoukou/techno/seibu/top.htm
《建築科》1年　定員：15名
《車体整備士科》2年　定員：15名
《電気工事科》1年　定員：20名

高知県　授業料：年額各118,800円

高知高等技術学校
〒781-0112　高知市仁井田1188
TEL：088-847-6601　FAX：088-847-6617
URL：http://www.pref.kochi.lg.jp/soshiki/151304/index.html
《機械加工科》2年　定員：10名
《メタルクラフト科》2年　定員：10名
《電気設備科》2年　定員：15名
《自動車整備科》2年　定員：20名
《設備技術科》1年　定員：10名
《オートボディ科》2年　定員：20名

中村高等技術学校
〒787-0019　四万十市具同5179
TEL：0880-37-2723　FAX：0880-37-2724
URL：http://www.pref.kochi.lg.jp/soshiki/151305/
《木造建築科》2年　定員：10名
《左官・タイル施工科》2年　定員：10名

香川県　授業料：年額各118,800円（☆印は無料）

丸亀高等技術学校
〒763-8513　丸亀市港町307
TEL：0877-22-2633　FAX：0877-24-7990
URL：http://www.pref.kagawa.jp/marugamegijutsu/
☆《溶接技術科（短期）》1年　定員：15名
☆《建築技術科（短期）》1年　定員：17名

高松高等技術学校
〒761-8031　高松市郷東町587-1
TEL：087-881-3171　FAX：087-881-6786
URL：http://www.niji.or.jp/school/ko-gi/
《電気システム科》2年　定員：15名
《自動車工学科》2年　定員：25名
《建築システム科》2年　定員：15名
《キャドシステム科》2年　定員：10名
☆《塗装技術科（短期）》1年　定員：17名

愛媛県　授業料：年額各118,800円（☆印は無料）

新居浜高等技術専門校
〒792-0060　新居浜市大生院1233-2
TEL：0897-43-4123　FAX：0897-41-9880
URL：http://www.pref.ehime.jp/kougisen/intro/niihama/niihama.htm
《メカトロニクス科》2年　定員：10名
《自動車整備科》2年　定員：15名
《溶接エンジニア科》1年　定員：30名

松山高等技術専門校
〒790-0811　松山市本町7-2
TEL：089-924-5768　FAX 089-924-5769
URL：http://www.pref.ehime.jp/kougisen/intro/matsu/matsu.htm
《総合建築科》1年　定員：15名
《情報システム科》1年　定員：15名
☆《販売実務科（知的障がい者）》1年　定員：20名
☆《OA実務科（発達障がい者）》1年　定員：10名
☆《総合実務科（精神障がい者）》2年　定員：10名

今治高等技術専門校
〒799-1534　今治市桜井団地4-1-1
TEL：0898-48-0525　FAX：0898-47-3955
URL：http://www.pref.ehime.jp/kougisen/intro/ima/ima.htm
《繊維エンジニア科》1年　定員：20名
《服飾ソーイング科》1年　定員：20名
《ビジネスデザイン科》1年　定員：15名
《設備エンジニア科》2年　定員：10名

宇和島高等技術専門校
〒798-0027　宇和島市柿原神ノ前1712
TEL：0895-22-3410　FAX：0895-23-6550
URL：http://www.pref.ehime.jp/kougisen/intro/uwajima/uwajima.htm
☆《木工クラフト科（短期）》1年　定員：10名

福岡県　授業料：無料

福岡高等技術専門校
〒813-0044　福岡市東区千早4-24-1
TEL：092-681-0261　FAX：092-681-0263
URL：http://www.fukuoka-kunren.net/cgi-bin/fukuoka_kunren/annai.cgi?school_id=01
《自動車整備科》2年　定員：20名
《空調システム科》1年　定員：30名
《印刷デザイン科》1年　定員：30名
《ソフトウェア管理科》1年　定員：30名
《電気設備科》1年　定員：30名
《住宅建築科》1年　定員：40名

戸畑高等技術専門校
〒804-0031　北九州市戸畑区東大谷2-1-1
TEL：093-882-4306　FAX：093-881-3393
URL：http://www.fukuoka-kunren.net/cgi-bin/fukuoka_kunren/annai.cgi?school_id=02
《溶接科》1年　定員：30名
《機械科》1年　定員：20名
《3次元CAD/CAM科》1年　定員：20名

小竹高等技術専門校
〒820-1104　鞍手郡小竹町新多514-2
TEL：09496-2-6441　FAX：09496-2-6453
URL：http://www.fukuoka-kunren.net/cgi-bin/fukuoka_kunren/annai.cgi?school_id=03
《プログラム設計科》2年　定員：20名
《自動車整備科》2年　定員：20名
《機械科》1年　定員：30名
《ものづくり鉄工科》1年　定員：20名
《建築科》1年　定員：30名
《塗装科》1年　定員：30名

久留米高等技術専門校
〒839-0861　久留米市合川町前田1786-2
TEL：0942-32-8795　FAX：0942-32-8793
URL：http://www.fukuoka-kunren.net/cgi-bin/fukuoka_kunren/annai.cgi?school_id=04
《自動車整備科》2年　定員：20名
《メカトロニクス科》2年　定員：20名
《建築科》1年　定員：30名

大牟田高等技術専門校
〒837-0924　大牟田市大字歴木475
TEL：0944-54-0320　FAX：0944-54-0321
URL：http://www.fukuoka-kunren.net/cgi-bin/fukuoka_kunren/annai.cgi?school_id=05
《OAビジネス科》1年　定員：20名

《溶接技術科》1年　定員：30名
《機械技術科》1年　定員：30名
《電気設備科》1年　定員：30名

田川高等技術専門校
〒825-0005　田川市大字糒2059
TEL：0947-44-1676　FAX：0947-44-8525
URL：http://www.fukuoka-kunren.net/cgi-bin/fukuoka_kunren/annai.cgi?school_id=06
《OA事務科》1年　定員：20名
《電気工事科》1年　定員：20名
《自動車整備科》1年　定員：30名
《木工科》1年　定員：30名
《左官科》1年　定員：30名

小倉高等技術専門校
〒802-0822　北九州市小倉南区横代東町1-4-1
TEL：093-961-4002　FAX：093-961-5031
URL：http://www.fukuoka-kunren.net/cgi-bin/fukuoka_kunren/annai.cgi?school_id=07
《OA事務科》1年　定員：20名
《左官科》1年　定員：30名

福岡障害者職業能力開発校
〒808-0122　北九州市若松区蜑住1728-1
TEL：093-741-5431　FAX：093-741-1340
URL：http://www.fukuoka-kunren.net/cgi-bin/fukuoka_kunren/annai.cgi?school_id=08
《コンピュータ製図科（障がい者）》1年　定員：20名
《プログラム設計科（障がい者）》2年　定員：20名
《商業デザイン科（障がい者）》1年　定員：20名
《OAビジネス科（障がい者）》1年　定員：20名
《福祉住環境科（障がい者）》1年　定員：20名
《ネットビジネス科（障がい者）科》1年　定員：30名
《総合実務科（知的障がい者）》1年　定員：20名

佐賀県　授業料：月額各9,800円（☆印は無料）

産業技術学院
〒846-0031　多久市多久町7183-1
TEL：0952-74-4330　FAX：0952-71-9033
URL：http://www.pref.saga.lg.jp/web/sangyougijutsugakuin.html
《生産技術科》2年　定員：25名
《自動車工学科》2年　定員：15名
《電気・配管システム科》2年　定員：20名
《建築設計科》1年　定員：20名
☆《総合建築科》1年　定員：20名
☆《インテリア工芸科》1年　定員：30名
☆《金属加工科》1年　定員：20名

長崎県　授業料：無料

長崎高等技術専門校
〒851-2127　西彼杵郡長与町高田郷547-21
TEL：095-887-5671　FAX：095-813-5676
URL：http://www.nagasaki-tc.ac.jp/
《電気・配管システム科》2年　定員：20名
《自動車整備科》2年　定員：20名
《建築設計施工科》2年　定員：20名
《機械制御システム科》2年　定員：20名
《溶接技術科》1年　定員：30名
《商業デザイン科》1年　定員：20名
《観光・オフィスビジネス科》1年　定員：20名

佐世保高等技術専門校
〒857-0361　北松浦郡佐々町小浦免1572-26
TEL：0956-62-4151　FAX：0956-62-4153
URL：http://www.sasebo-tc.ac.jp/
《自動車設備科》2年　定員：20名
《電気システム科》2年　定員：20名
《OAビジネス科》1年　定員：20名
《建築設計施工科》1年　定員：20名
《機械技術科》1年　定員：20名
《溶接技術科》1年　定員：20名
《塗装技術科》1年　定員：20名

熊本県　授業料：年額各118,800円（☆印は無料）

熊本高等技術訓練校
〒861-4108　熊本市幸田1-4-1
TEL：096-378-0121
URL：http://www.pref.kumamoto.jp/site/kumamotokoukun/
《自動車車体整備科》3年　定員：15名
《電気配管システム科》2年　定員：20名
《総合建築科》2年　定員：15名
☆《販売実務科（知的障がい者）》1年　定員：10名

大分県　授業料：無料

大分県竹工芸・訓練支援センター
〒874-0836　別府市東荘園3-3
TEL：0977-23-3609　FAX：0977-26-5969
URL：http://www.pref.oita.jp/14511/
《竹工芸科》1年　定員：20名

大分高等技術専門校
〒870-1141　大分市大字下宗方1035-1
TEL：097-542-3411　FAX：097-586-1121
URL：http://www.oita-tech.ac.jp/
《メカトロニクス科》2年　定員：20名

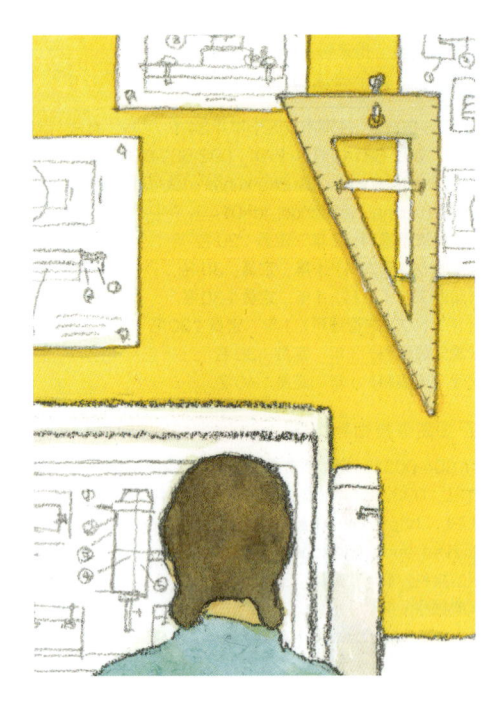

《電気設備科》1年　定員：20名
《自動車整備科》1年　定員：20名
《空調配管システム科》1年　定員：20名
《木造建築科》1年　定員：20名

佐伯高等技術専門校
〒876-0822　佐伯市西浜8-31
TEL：0972-22-0767　FAX：0972-22-0773
URL：http://www.saiki-tc.ac.jp/
《機械加工科》1年　定員：20名
《情報ビジネス科》1年　定員：20名
《建築科》1年　定員：20名

日田高等技術専門校
〒877-0084　日田市朝日ケ丘576-10
TEL：0973-22-0789　FAX：0973-22-6405
URL：http://www.hita-tc.ac.jp/
《情報ビジネス科》1年　定員：20名
《建築科》1年　定員：20名

宮崎県　授業料：年額各118,800円（☆印は無料）

産業技術専門校
〒881-0003　西都市大字右松362-1
TEL：0983-42-6501
URL：http://www.miyazaki-sangi.ac.jp/

《木造建築科》2年　定員：20名
《構造物鉄工科》2年　定員：20名
《電気設備科》2年　定員：20名
《建築設備科》2年　定員：20名

産業技術専門学校　高鍋校
〒884-0003　児湯郡高鍋町大字南高鍋1770
TEL：0983-23-0523　FAX：0983-22-0065
URL：http://www.pref.miyazaki.lg.jp/contents/org/shoko/rodo/takanabe_boshu/index_annai.html
《塗装科》1年　定員：20名
《建築科》1年　定員：20名
☆《販売実務科（知的障がい者）》1年　定員：10名

鹿児島県　授業料：年額各118,800円（☆印は無料）

吹上高等技術専門校
〒899-3302　日置市吹上町中之里1717
TEL：099-296-2050
URL：http://www.pref.kagoshima.jp/sangyo-rodo/rodo/kaihatu/fukiage/fukiage_koukun_syoukai.html
《自動車工学科》2年　定員：20名
《機械整備科》1年　定員：10名
《金属加工科》2年　定員：20名

宮之城高等技術専門校
〒895-1804　薩摩郡さつま町船木881
TEL：0996-53-0207
URL：http://www.pref.kagoshima.jp/sangyo-rodo/rodo/kaihatu/miyanojo/miyanojo_koukun_syoukai.html
《建築工学科》2年　定員：20名
《室内造形科》2年　定員：20名

姶良高等技術専門校
〒899-5431　姶良郡姶良町西餅田1120
TEL：0995-65-2247
URL：http://www.pref.kagoshima.jp/sangyo-rodo/rodo/kaihatu/aira/aira_koukun_syoukai.html
《情報処理科》2年　定員：20名
《メカトロニクス科》2年　定員：20名

鹿屋高等技術専門校
〒893-0032　鹿屋市川西町3482
TEL：0994-44-8674　FAX：0994-44-8746
URL：http://www.pref.kagoshima.jp/sangyo-rodo/rodo/kaihatu/kanoya/kanoya_koukun_syoukai.html
《電気設備科》2年　定員：20名

鹿児島障害者職業能力開発校
〒895-1402　薩摩川内市入来町浦之名1432
TEL：0996-44-2206　FAX：0996-44-2207
URL：http://www.pref.kagoshima.jp/sangyo-rodo/rodo/kaihatu/shogaikou/index.html
☆《情報電子科（身体障がい者）》1年　定員：10名
☆《デザイン製版科（身体障がい者）》1年　定員：20名
☆《建築設計科（身体障がい者）》1年　定員：20名
☆《義肢福祉用具科（身体障がい者）》1年　定員：10名
☆《OA事務科（身体障がい者）》1年　定員：20名
☆《アパレル科（身体障がい者）》1年　定員：10名
☆《造形実務科（知的障がい者）》1年　定員：10名

沖縄県　授業料：無料

具志川職業能力開発校
〒904-2241　うるま市兼箇段1945
TEL：098-973-5954　FAX：098-974-7465
URL：http://www.gushideve.ac.jp/
《電管施工科》2年　定員：30名
《自動車整備科》2年　定員：20名
《建設機械整備科》1年　定員：30名
《メディア・アート科》1年　定員：30名
《製図科（身体障がい者）》1年　定員：10名

浦添職業能力開発校
〒901-2113　浦添市字大平531
TEL：098-878-5627　FAX：098-876-4400
URL：http://www.uranou.ac.jp/
《自動車整備科》2年　定員：25名
《電気通信工事科》1年　定員：25名
《建設機械整備科》1年　定員：10名
《板金溶接科》1年　定員：25名
《設備システム科》1年　定員：25名
《エクステリア科》1年　定員：30名
《OA事務科（身体障がい者）》1年　定員：10名

短大 授業料：年額390,000円（これ以外は個別に示す）

岩手県立産業技術短期大学校　矢巾キャンパス
〒028-3615　紫波郡矢巾町大字南矢幅第10-3-1
TEL：019-697-9088　FAX：019-697-9089
URL：http://www.iwate-it.ac.jp/index.htm
《メカトロニクス技術科》2年　定員：20名
《電子技術科》2年　定員：20名
《建築科》2年　定員：20名
《産業デザイン科》2年　定員：20名
《情報技術科》2年　定員：20名
《産業技術専攻科》1年　定員：10名

岩手県立産業技術短期大学校　水沢キャンパス
〒023-0003　奥州市水沢区佐倉河字東広町66-2
TEL：0197-22-4422　FAX：0197-23-6189
URL：http://www.iwate-it.ac.jp/index.htm
《生産技術科》2年　定員：20名
《電気技術科》2年　定員：20名
《建築設備科》2年　定員：20名

山形県立産業技術短期大学校
〒990-2473　山形市松栄2-2-1
TEL：023-643-8431　FAX：023-643-8687
URL：http://www.yamagata-cit.ac.jp/index3.html
《機械システム系メカトロニクス科》2年　定員：20名
《機械システム系デジタルエンジニアリング科》2年　定員：20名
《情報システム科》2年　定員：20名
《建築環境システム科》2年　定員：20名
《知能電子システム科》2年　定員：30名
《産業情報専攻科》1年　定員：10名

山形県立産業技術短期大学校　庄内校
〒998-0102　酒田市京田3-57-4
TEL：0234-31-2300　FAX：0234-31-2770
URL：http://www.shonai-cit.ac.jp/
《制御機械科》2年　定員：20名
《電子情報科》2年　定員：20名
《国際経営科》2年　定員：20名

福島県立テクノアカデミー会津　短期大学校
授業料：年額379,200円
〒969-3534　喜多方市塩川町遠田字沼上1900
TEL：0241-27-3221　FAX：0241-27-3312
URL：http://www.tc-aizu.ac.jp/
《観光プロデュース学科》2年　定員：20名

福島県立テクノアカデミー郡山　短期大学校
授業料：年額379,200円
〒963-8816　郡山市上野山5
TEL：024-944-1663
URL：http://www.tck.ac.jp/
《精密機械工学科》2年　定員：20名
《組込技術工学科》2年　定員：30名

福島県立テクノアカデミー浜　短期大学校
授業料：年額379,200円
〒975-0036　南相馬市原町区萱浜字巣掛場45-112
TEL：0244-26-1555　FAX：0244-26-1550
URL：http://www.tc-hama.ac.jp/
《計測制御工学科（専門）》2年　定員：20名

神奈川県立産業技術短期大学校
〒241-0815　横浜市旭区中尾2-4-1
TEL：045-363-1231　FAX：045-362-7141
URL：http://www.kanagawa-cit.ac.jp/index.html
《生産技術科》2年　定員：40名
《制御技術科》2年　定員：40名
《電子技術科》2年　定員：40名
《産業デザイン科》2年　定員：40名
《情報技術科》2年　定員：40名

山梨県立産業技術短期大学校
授業料：年額381,700円
〒404-0042　甲州市塩山上於曽1308
TEL：0553-32-5200　FAX：0553-32-5203
URL：http://www.yitjc.ac.jp/
《生産技術科》2年　定員：20名
《電子技術科》2年　定員：30名
《観光ビジネス科》2年　定員：20名
《情報技術科》2年　定員：30名

長野県工科短期大学校
〒386-1211　上田市下之郷813-8
TEL：0268-39-1111　FAX：0268-37-1102
URL：http://www.pit-nagano.ac.jp/
《生産技術科》2年　定員：20名
《制御技術科》2年　定員：20名
《電子技術科》2年　定員：20名
《情報技術科》2年　定員：20名

大分県立工科短期大学校
〒871-0006　中津市大字東浜407-27
TEL：0979-23-5500　FAX：0979-23-7001
URL：http://www.oita-it.ac.jp/
《機械システム系》2年　定員：46名
《電子システム系》2年　定員：24名

《建築システム系》2年　定員：10名

茨城県立産業技術短期大学校

〒311-1131　水戸市下大野町6342
TEL：029-269-5500　FAX：029-269-5582
URL：http://www.ibaraki-it.ac.jp/
《情報通信科》2年　定員：20名
《情報処理科》2年　定員：20名

岐阜県立国際たくみアカデミー職業能力開発短期大学校

授業料：年額118,800円
〒505-0004　美濃加茂市蜂屋町上蜂屋3545-3
TEL：0574-25-2423　FAX：0574-25-2489
URL：http://www.takumi.ac.jp/
《生産技術科》2年　定員：20名
《建築科》2年　定員：20名

広島県立技術短期大学校

〒733-0851　広島市西区田方2-25-1
TEL：082-273-2201　FAX：082-273-1777
URL：http://www3.ocn.ne.jp/~tc-hiro/
《生産技術科》2年　定員：20名
《制御技術科》2年　定員：20名

熊本県立技術短期大学校

〒869-1102　菊池郡菊陽町大字原水4455-1
TEL：096-232-9700
URL：http://www.kumamoto-pct.ac.jp/
《精密機械技術科》2年　定員：22名
《機械制御技術科》2年　定員：22名
《電子情報技術科》2年　定員：22名
《情報通信技術科》2年　定員：22名
《情報映像技術科》2年　定員：22名

進路 | 通信教育

　通信教育は、教材を利用し在宅で学習する。高校・大学などの学校通信教育、補助学習や受験対策の添削式通信教育、資格取得のための通信講座、趣味のための社会通信教育の四つに分けられる。

古来から、勉強・学習には、「寺子屋や学校や塾などに通って学ぶ」「独自に勉強する」という二つの方法があった。通学と独学である。だが、近代に郵便制度が発達したことで、通信教育という学び方が新しく生まれた。家が貧しい、近くに学校がない、学校に通う時間がない、そのようなさまざまな理由で通学できない人々のために通信教育は誕生した。しかし現在では、社会に出たあとの資格取得が目的となることが多くなっている。

　通信教育のもっとも大きな利点は、好きなときに、好きなところで学習できるという点だ。すでに社会に出て働いている人は、決まった場所に決まった時間に通うのは簡単ではない。勤務時間が変則的だったり、残業が多い場合はさらにむずかしい。また、通学に比べて費用が安いのも大きな利点だ。だが、明らかに不利な部分もある。まず、他の生徒との交流がなく刺激を受けたり相談したりできないことが挙げられる。それに、指導者への迅速な質問ができないこと、通学に比べると受講期間が長いこと、求人情報や就職支援が少ないこと、などがある。

　ただし、インターネットによって、通信教育は進歩していて、デメリットは小さくなっている。メールでの指導者への質問、ＤＶＤなどの映像教材、そして就職案内や相談などが充実している講座もある。通信教育において、もっとも重要なのは、本人のやる気だ。競争相手が見えないし、好きなときに勉強できるという利点が、逆に意欲を失わせることもある。ただし、やる気を失うことなく、目的意識を高く持てば、さまざまな資格取得の可能性がある。

　以下に、職業に直結する資格取得のための、通信教育講座を抜粋して紹介する。

通信教育一覧（資格試験対策講座を抜粋）

〔法律・財務・経理〕

- 行政書士（国家・業務独占）
  授業料：54,000円　修業期間：標準6ヶ月
  受験資格：なし　試験：年1回

- 社会保険労務士（国家・業務独占）
  授業料：68,000円　修業期間：標準7ヶ月
  受験資格：1.大学を卒業または履修単位62単位以上取得しているもの
  2.行政書士、税理士などの資格を有するもの
  3.公務員として3年以上従事したもの
  試験：年1回

- 宅建取引主任者（国家・業務独占）
  授業料：54,000円　修業期間：標準6ヶ月
  受験資格：なし　試験：年1回

- 中小企業診断士（国家・業務独占）
  授業料：88,000円　修業期間：標準14ヶ月
  受験資格：1次はなし　2次は1次合格者
  試験：1次、2次ともに年1回

- 司法書士（国家・業務独占）
  授業料：145,000円　修業期間：標準15ヶ月
  受験資格：なし　試験：年1回

- マンション管理士（国家）・管理業務主任者（国家・業務独占・必置）
  授業料：58,000円　修業期間：標準8ヶ月
  受験資格：なし　試験：年1回

- ファイナンシャルプランナー（FP）（民間）
  授業料：62,000円　修業期間：標準6ヶ月
  受験資格：AFP→日本FP協会認定のAFP認定修了者
  CFP→実務経験3年以上でCFP研修修了者
  試験：年2回

- 簿記試験（公的）
  授業料：38,000円　修業期間：標準4ヶ月
  受験資格：なし　試験：4～2級　年3回、1級　年2回

- 証券外務員2種（民間）
  授業料：35,000円　修業期間：標準3ヶ月
  受験資格：なし　試験：随時

- 土地家屋調査士（国家・業務独占）
  授業料：62,000円　修業期間：標準10ヶ月
  受験資格：なし　試験：年1回

〔外国語〕

- TOEIC（R）テスト（民間）
  授業料：目標点数により異なる　35,000円～45,000円
  修業期間：標準：3ヶ月～4ヶ月
  受験資格：なし　試験：年8回

- 英語検定（3・4～準2級）（民間）
  授業料：35,000円
  修業期間：目標級により異なる　4ヶ月～6ヶ月
  受験資格：なし　試験：年3回

〔福祉・医療・衛生〕

- 介護福祉士（国家）
  授業料：49,000円　修業期間：標準6ヶ月
  受験資格：高卒以上で介護福祉士養成施設で学んだものか、3年以上介護などの業務に従事したもの
  試験：年1回

- ケアマネージャー（公的・必置）
  授業料：コースによって異なる
  A.医師・歯科医師で実務経験5年以上　37,500円　標準3ヶ月
  B.介護福祉士・社会福祉士・精神保健福祉士で実務経験5年以上　45,000円　標準5ヶ月
  C.薬剤師・保健師・助産師・看護師などで実務経験5年以上　45,000円　標準5ヶ月
  D.資格を持たず実務経験10年以上　49,000円　標準6ヶ月
  受験資格：保険・医療・福祉分野に5年以上の実務経験
  試験：年1回

- 福祉住環境コーディネーター（公的）
  授業料：49,000円　修業期間：標準6ヶ月
  受験資格：なし　試験：年2回（1級のみ1回）

- 保育士（国家）
  授業料：54,000円　修業年数：標準12ヶ月
  受験資格：1.大学に2年以上在学し、履修単位62単位以上修めたものまたは高等専門学校を卒業したもの
  2.高校卒業（または同等）または大検程度で、児童福祉施設で2年以上従事した者
  3.児童福祉施設で5年以上従事したもの
  4.適正な資格があると認められたもの（都道府県で異なる）
  試験：年1回

- 医療事務（民間）
  授業料：47,000円　修業期間：標準6ヶ月
  受験資格：なし　試験：年6回

- 介護事務（民間）
  授業料：38,000円　修業期間：標準4ヶ月
  受験資格：なし　試験：年6回

- 調剤薬局事務（民間）
  授業料：38,000円　修業期間：標準4ヶ月
  受験資格：なし　試験：年6回

- サービス介助士準2級（民間）
  授業料：21,000円　修業期間：標準4ヶ月
  受験資格：なし
  日本ケアフィットサービス協会提携の通信教育であれば、課題提出と検定試験の提出のみで、資格が取れる。

- 歯科助手
  授業料：44,000円　　修業期間：標準5ヶ月
  受験資格：なし　　試験：年6回

- 衛生管理者（国家・必置）
  授業料：38,000円　　修業年数：標準6ヶ月
  受験資格：1.医師、歯科医師、薬剤師、獣医師
  2.大学において医学、歯学、薬学、獣医学、畜産学、水産学、農芸化学のいずれかを卒業したもの
  3.食品衛生管理者養成施設で所定の課程を修了したもの
  4.高校卒業以上で、食品業に3年以上従事し講習を受けたもの

- 管理栄養士（国家・必置）
  授業料：54,000円　　修業期間：標準10ヶ月
  受験資格：栄養士の資格と栄養指導の従事経験年数
  試験：年1回

〔旅行・流通〕

- 旅行管理者（国家・必置）
  授業料：49,000円（総合）　　修業期間：標準8ヶ月
  受験資格：なし　　試験：年1回

- 通関士（国家・業務独占・必置）
  授業料：54,000円　　修業期間：標準6ヶ月
  受験資格：なし　　試験：年1回

- 販売士（公的）
  授業料：3級38,000円　2級41,000円
  修業期間：標準3級4ヶ月、2級5ヶ月
  受験資格：なし　　試験：年1回

〔土木・建築・設備〕

- 1級2級土木施工管理技士（国家）
  授業料：2級54,000円　1級62,000円
  修業期間：標準2級6ヶ月、1級6ヶ月
  受験資格：実務経験　　試験：年1回

- 測量士補（国家・業務独占）
  授業料：45,000円　　修業期間：標準6ヶ月
  受験資格：なし　　試験：年1回

- 2級建築士（国家・業務独占）
  現在休講
  受験資格：大学などの建築学科を卒業し実務経験の1年以上ある者か、7年以上の実務経験者
  試験：年1回

- 第二電気工事士（国家・業務独占）
  授業料：54,000円　　修業期間：標準8ヶ月
  受験資格：なし　　試験：年1回

- 電験三種（国家）
  授業料：54,000円　　修業期間：標準12ヶ月

- 2級ボイラー技士（国家・業務独占）
  授業料：38,000円　　修業期間：標準6ヶ月
  受験資格：学歴または実務経験　　試験：毎月1〜2回

- 危険物取扱者（国家・必置）
  授業料：38,000円　　修業期間：標準5ヶ月
  受験資格：なし　　試験：都道府県で異なる

〔気象〕

- 気象予報士（国家・必置）
  授業料：62,000円　　修業期間：標準8ヶ月
  受験資格：なし　　試験：年2回

〔料理〕

- 調理師（国家）
  授業料：41,000円　　修業期間：標準6ヶ月
  受験資格：学歴と実務経験
  試験：各都道府県ごとに異なる

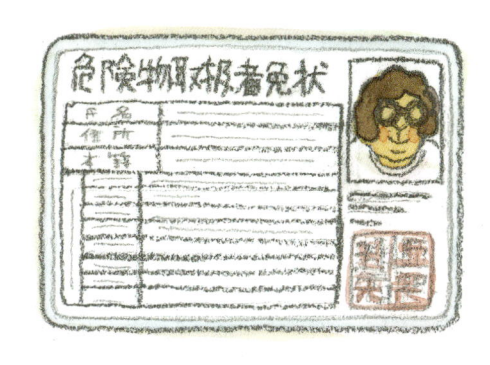

進路｜資格予備校

　資格予備校は、難易度の高い国家資格受験者を対象に、実践的なトレーニングを提供する。受講料は高額であることが多い。司法試験でも、公認会計士試験でも、独学は簡単ではないし、大学では実務教育がほとんど行われていないため、資格予備校に通う人は増え続けている。社会人の受講者も多い。

おもに難易度の高い国家試験の、試験合格のための講座を持つ予備校である。当たり前だが、予備校なので、講座を受講しても、受験資格や、資格そのものを得ることはできない。では、どうしてこのような予備校が必要かといえば、「大学」の項で説明した通り、たとえば大学の法学部では、司法試験のための実務教育を行っていないからだ。経済学部や経営学部でも、公認会計士の資格試験のためのトレーニングは行われない。また、司法試験予備校の弊害を指摘して作られた法科大学院でさえ、乱立と実務教育の不備で、早くもその存在意義に疑問符がつくようになった。

　資格試験予備校が講座の対象とするのは、司法試験、公認会計士、公務員、医師、薬剤師、看護師など難易度の高い国家資格が中心だが、近年資格取得がブームになったこともあって、他の資格試験の講座も併設されることが多くなった。たとえば行政書士、税理士、社会保険労務士、宅地建物取引責任者などだが、もともとそういった資格試験の合格率は非常に低い。そしてそれらを目指すための実践的なトレーニングを受ける学校が予備校以外に存在しない。

　バブル崩壊後、正社員になるための就職競争が激しくなり、資格を取る人が増えた。その資格さえあれば一生食いっぱぐれがないという資格は数えるほどしかない。資格は、よく足の裏にくっついた米粒にたとえられる。何とかして取りたいが、取ったからといってどうにかなるものではないという意味だ。どうすれば安定的に働くことができるのか、どうすれば就職できるのか、その問題と答えが社会的に共有されていないために、若い人を中心に、その有効性を吟味することなく、資格取得はブームであり続けるだろう。

　受講料は、たとえばある予備校の公認会計士全日制18ヶ月コースで、入学金と授業料を合わせて約160万円が必要となる。受講生は、いろいろな意味で必死だ。目的がはっきりしていて、周囲はすべてライバルで、しかも受講料も高額なので、サボる人はいない。学生や院生は大学や大学院に通いながら、社会人は働きながら、寝る間も惜しんで勉強する。一部奨学金や、支援を行う企業もあるが、経済的に余裕がない人が難易度の高い資格試験予備校に通うのは簡単ではない。

進路 | **奨学金**

　教育にはお金がかかる。ほとんどの先進国は、経済力のない学生を支援する奨学金制度を整備している。だが、日本の奨学金は返済義務を負うものがほとんどであり、厳密には奨学金ではなく、学生ローンと呼ぶべきだという指摘もある。現実的に返済の滞納があとを絶たず、社会問題となっている。

進学──いくらかかるのか

　進学するために、お金はいったいいくらかかるのだろうか。この「進路」で説明した学校、訓練施設にかかる1年間の学費（諸経費を除く）を、安い順に並べてみる。

- 自衛隊生徒　0円。逆に毎月15万円ほどの給料がもらえる。
- 職業能力開発センター　学科によっては0円。教科書代と衣服代は別途必要。
- 通信教育（ユーキャン・行政書士の場合）授業料 54,000円　期間：6ヶ月
- 高等技術専門校（職業訓練所）授業料 118,800円
- 公立高校　年間授業料 118,800円（民主党政権では無料化の予定）
- 国立高専　年間授業料 234,600円　入学金 84,600円
- 公立大学　年間授業料 520,800円　入学金 141,000円（学区内出身者）
- 国立大学　年間授業料 535,800円　入学金 282,000円
- 私立高校　年間授業料（平均）320,000円　入学金（平均）330,000円
- 私立高専（高専では年次が上がるにつれて実習が増えるために2年生 600,000円、3年生 700,000円、4・5年生 900,000円と授業料が上がる）
　サレジオ高専1年生の場合・年間授業料 500,000円　入学金 300,000円
- 私立短大・人文学部平均　年間授業料約 700,000円　入学金 250,000円
- 私立大学・教育学部平均　年間授業料約 740,000円　入学金 250,000円
- 私立短大・工学部平均　年間授業料約 800,000円　入学金 220,000円
- 専門学校・昼間部総平均　約 1,200,000円
- 私立大学・工学部平均　年間授業料約 950,000円　入学金 250,000円
- 法科大学院（明治大学）年間授業料 1,160,000円　入学金 280,000円
- 私立大学・医学部平均　年間授業料約 3,000,000円　入学金 1,000,000円

教育にはお金がかかる

　私立大学医学部の年間授業料300万円、入学金100万円という額をどう考えればいいのだろうか。確かに、圧倒的に高い。だが、入学金と授業料がゼロの防衛医大（防衛医科大学校）の卒業生が、規定義務である9年間の自衛隊勤務を拒んだ場合、最大で5000万円の償還金を支払わなければならないという。卒業までの「経費」を支払うわけだから、医学教育にはそれだけの経費がかかるのだ。医学は特別に高いとしても、本来教育には金がかかる。問題は、額の大きさではなく、その金を誰が出すのか、ということだ。

　OECD調査を基に民主党が作成したデータによると、日本の高等教育における家計（家庭）負担の割合は約6割で、先進国の中でもっとも高い水準にあるらしい。アメリカは3割強、イギリスが2割弱、フランスが1割強、ドイツが1割弱、フィンランド、

デンマークはともに3％程度で、スウェーデンにいたってはゼロである。高等教育進学率によって政府支援額が違ってくるので、日本政府の教育支援が足りないと簡単に決めつけるわけにはいかないが、日本の高等教育が、国民の熱心な関心と、重い家庭負担によって支えられているのは事実だ。他の国に比べると、奨学金のシステムが貧弱で問題が多いという指摘もある。

日本の奨学金制度

経済的に恵まれず、また学業が優秀な学生に対しての奨学金は、返済の義務があるものと、返済の義務がないものと、大きく2種類に分けられる。

返済義務がある奨学金

- **日本学生支援機構**

  日本育英会などいくつかの事業を統合する形で2004年に誕生した独立行政法人で、もっとも利用者が多い奨学金システムである。現在約100万人が奨学金を受けているが、これは大学生全体の約32.4％にあたり3人に1人が奨学金を受けている計算になる。貸与条件は保護者の収入と生徒の成績などで、第1種の（無利子貸与）の場合、保護者の年収が998万円以下、第2種（有利子）で1344万円以下となっており、成績条件は有利子の場合、「平均以上」などそれほど厳しくない。借り入れには保証人が必要で原則父母（または4親等以内の成人親族）。当然返済義務があり、15年ほどの時間をかけて返済していく。

  ◆貸与月額（平成21年度）
  ◇第1種
  　国・公立（月額）
  　自宅通学者 45,000 円　自宅外通学者 51,000 円　または 30,000 円から選択
  　私立
  　自宅通学者 54,000 円　自宅外通学者 64,000 円　または 30,000 円から選択
  ◇第2種：30,000 円、50,000 円、80,000 円、100,000 円、120,000 円のいずれか。
  　その他に、入学時特別増額貸与もできる。金額は 10 万円、20 万円、30 万円、40 万円、50 万円のいずれかを選択して借り入れできる。利率上限は年3％であり、在学中は無利息。海外留学する学生に対して一定の利率で貸し付ける制度もある。

- **その他の教育ローン**

  日本学生支援機構の場合も給付ではなく貸与なので広義の教育ローンである。教育ローンには、他に国や民間金融機関が貸し出すものがある。入学金、授業料、寄付金、アパートの家賃などが使途となる。国が行う教育ローンには、日本政策金融公庫、郵便貯金、国民年金・厚生年金などが融資元になっている。奨学金と違い、親が学費などのために借り入れる。奨学金と同じく借り入れ限度額があり、金利については所得によって決まる場合が多い。国の教育ローンでは、世帯収入が990万円以内で学生一人につき300万円までで、返済期限は15年以内となっている。

返済義務のない奨学金

- **新聞奨学生**

新聞社による奨学金制度で、新聞の新聞販売店で新聞配達、集金などの仕事をすることで奨学金と給与が支給される。新聞奨学金は自分で働いた分から奨学金が支給される。返済の必要はない。奨学金を受給する前の入学金などの無利子の借り入れも可能で、支給される奨学金の中から相殺する形で自動的に返済される。だが、途中で辞める場合は奨学金を返済しなければならない。予備校コースのある奨学会もある。

個室の部屋を住居として借りる。販売店内の1室か、近所のアパートで、寮と呼ばれる。家賃はかからないが、光熱費・水道代は自分で払う。食費は月額で3万円程度。自分で部屋を借りることはできない。風呂は銭湯を利用することが多い。風呂・シャワーがある販売店もある。洗濯はコインランドリーで、販売店に置いてあることもある。販売店所長の許可があれば、部屋でインターネットが可能。ブロードバンド回線の有無、モバイルの受信環境などは各営業所によって違う。

奨学金のコースは以下の二つ
◇ Aコース：4年間で450万円の奨学金、及び週6日勤務の月13万7200円の給与
◇ Bコース：4年間で350万円の奨学金、及び週4日勤務の月10万4800円の給与

新聞配達のニーズが大きい大都市圏での募集がほとんどであり、進学する学校に近い販売店に配属される。夕刊の配達がないコースを用意しているところもあるが、その場合給与は少ない。実験や実習など時間的制約があるという理由で、理系の学生が新聞奨学生になるのはむずかしい。

ある新聞奨学生の1日のタイムーテーブルを紹介する。

時刻	内容	時刻	内容
3:00	起床	15:00	夕刊配達のため出勤
3:15	出勤、配達準備	15:30	配達に出発
4:00	朝刊の配達に出発	17:00	配達終了・明日の準備
6:30	配達終了	18:00	夕食
7:00	朝食	19:00	近所の銭湯へ
8:30	学校へ登校	20:00	自由時間
12:30	学食で昼食	21:30	就寝

ほぼ毎日、上記のスケジュール通りの生活が続くのだという。他にもデメリットとして「学校で友だちができにくい」ということがあるらしい。3時限目が終わると急いで販売店に戻らなくてはならないので、先生に質問したり、友だちと語らったりする時間がほとんどないのだ。サークルにも入れないし、自由な時間がないので飲み会などにも行けない。卒業時に、奨学会からの就職推薦状が授与されるが、すべての就職活動に役立つとは限らない。逆に、ゼミや補講などが受けられないために不利になるという指摘もある。

- **特待制度**

大学や高校といった学校独自で実施する奨学金。入試時の成績上位者に、学費の全額・半額免

除といった特例の奨学金を独自で設けている学校もある。最近では国立大学の学校法人化に伴い、国立大学が独自に実施する奨学金も増えてきている。学校独自の奨学金は成績や功績に関する厳しい審査があることが多く、学年で数人だけ、というケースがほとんどだ。

奨学金の問題点

● 日本学生支援機構の場合

奨学金は、貸与であって、給付ではない。つまり結局は教育ローンであり、当然結果的に家計を圧迫し、返済は簡単ではない。また、大学入学時に奨学金を申し込む場合、「高校時代の成績」で貸与の是非が判断される。そのために大学や専門学校での成績が考慮されないという欠点もある。学業優秀者に対して、という原則が活かされない。

● 新聞奨学生の場合

朝夕の新聞配達をしながらの通学となるので非常にハードだ。休養時間、睡眠時間、それに勉強の時間の確保がむずかしい。新聞協会のデータでは、この10年で学生の販売店従業員が約2万3000人から8000人にまで減少している。コンビニやファミレスやファストフード店、スーパーなどアルバイト先が増えていることも、その原因の一つだろう。どの新聞も、しだいに発行部数が減っていて、近年の不況で社会人の配達員も増えている。そういった状況で、営業所によっては、過酷な労働を強いるところもあるという。また途中で退会する場合は、奨学金を一括で返済するのが原則になっているが、支払うことができないために、やむを得ず新聞配達を続ける学生もいるらしい。

滞納問題

奨学金返済の滞納が大きな社会問題になっている。3ヶ月以上返還が滞っている債権額は、2007年度末で2252億円だと報道されて論議を呼んだ。日本学生支援機構では、滞納を止めるために、滞納者の個人情報を信用情報機関に登録したり、滞納者が多い大学名を公表するといった思い切った方法を検討中だと言われている。「返せない」のか、それとも「返す気がない」のか、は議論が分かれるところだが、日本の奨学金制度が、時代状況に対応できていない印象を受ける。

2種奨学金を1ヶ月8万円、4年間貸与してもらう場合、返還総額は利息を含め

て516万7586円、毎月の返還額は2万1531円で、期間は20年におよぶ。ほとんどの学卒者が正社員になることができて終身雇用が保障されていた時代だったら、毎月2万円の返済は何とかなったかも知れない。だが、最低賃金に近いアルバイト、派遣労働の非正規労働者が増え続けている。ワーキングプアと呼ばれる人の平均的な月収は13万から15万円と言われていて、その額は生命を維持するだけで精いっぱいだから、月額2万円の奨学金返済は現実的に不可能だ。

「返す気がない」という人もきっと増えているのだろう。借金なのだから返済するのが当然で、弁護するつもりはないのだが、社会全体が相互の信頼を失いかけているような気もする。たとえば、偽装請負に代表される企業側の不公正がある。日雇い派遣、登録派遣、名ばかり管理職など、企業が若年労働者を「使い捨て」にしているようなムードが社会に充ちている。そっちがその気ならこっちだって考えがある、というような憤りで、開き直る若者が増えるのは、正しいことでも、喜ばしいことでもないが、理解できる気もする。

奨学金の今後

民主党政権は、「コンクリートから人へ」のスローガンのもと、教育改革にも取り組むつもりらしい。大学などの学生に対し希望者全員が受けられる新しい奨学金制度を創設する、マニフェストにそう明記されている。借り入れ限度額が年間300万円、親の仕送りがゼロでも誰もが大学などで学ぶことができて、しかもいったん社会人になっても意欲があれば大学などで学び直すことができると想定されている。

実現すればすばらしいが、財源が不足しているので、きっと簡単ではないだろう。また、授業料や入学金や生活費が必要な人は、新しい奨学金制度ができるのを待つわけにはいかない。今すでにある制度を使うしかない。体力と精神力に自信がある人は新聞奨学金という選択肢もあるだろう。ただ、他に重要なポイントがあるように思う。大学や専門学校や大学院で、「自分に向いた学問」を必死に勉強するという、ごく当たり前のことだ。必死に勉強して結果を出せば、特待生になれる可能性もあるし、奨学金のありがたさも実感できるのではないだろうか。

進路 | 自衛隊

　自衛隊では、武器の扱いだけではなく、車両や航空機や船舶の操縦、通信や土木や医療関係のさまざまな機器の操作など、数えきれないほどの技術が必要である。自衛官は、報酬（ほうしゅう）をもらいながら、そういった技術を習得することができる。だが最近は海外の紛争地帯への派兵など、新しいリスクも生まれている。ここでは、「職業訓練施設としての自衛隊」を考える。

職業訓練施設としての自衛隊

自衛官になるのは合理的か

　自衛官を職業・仕事の選択肢として取り上げることには異論もあるだろう。そもそも自衛隊の存在そのものが憲法違反だという意見もあるし、子どもたちに戦争を目的とした職業を紹介すべきではないという指摘もあるに違いない。だが、わたしは職業としての自衛官をできる限り公平にオープンに紹介し、自衛官になることが合理的かどうかを考えるための材料を示したいと思う。

シェイプアップしながら給料がもらえる自衛官

　わたしは米海兵隊基地と海上自衛隊基地のある町で育った。クラスには必ず自衛官の子どもがいて、友人も多かった。旧日本海軍の砲兵だった祖父から、いつも軍艦や海戦の話をしてもらっていたことも影響して、海上自衛隊には何となく親しみがあった。少なくとも自衛隊や自衛官を忌み嫌ったりすることはなかったし、それは今も変わらない。また、おそらく自分にもっとも欠けているものの一つだからだろうが、わたしには軍隊における規律や訓練といったものへのあこがれがある。映画などでたとえば米海兵隊の訓練の様子を見ると、大変そうだなと思うが、同時に、若いときに身体と精神を鍛えるのは悪いことではないと思ってしまう。

　腰を悪くしてから、おもに腹筋のエクササイズを始めたが、50歳を過ぎてからでも、肉体は規則的な負荷に反応して強化されていく。そのことを実感するのは案外気分がいいものだ。規律のある生活を続け、肉体と精神に負荷をかけて鍛え、自分が目に見えて変わっていくのを実感するのはきっと気分がいいのだと思う。自衛官を募集するHPなどにはそういったことが明記してある。つまり、自衛隊には規則正しい生活があり、部隊の中で共同行動をすることにより規律を覚え、さまざまな訓練によって精神と身体が鍛えられていくと書いてある。ボディビルやエアロビクスにはお金がかかるが、自衛官になると給与をもらいながら肉体をシェイプアップすることが可能だ。

自衛隊で資格を取るという選択

　これから詳細を紹介していくが、自衛隊には実に幅広い職務・職種・職域があり、特別職国家公務員としての給与や手当を受けとりながら教育を受け、いろいろな資格を得ることができる。この不況下、自衛官の採用試験の競争は激しくなっている。たとえば平成21年度版の防衛ハンドブックによると平成19年度の採用試験倍率は、女性を対象にした「看護学生」で約45倍、「陸上自衛隊一般・技術幹部候補生（男子）」で約18倍、中卒者、高校中退者を対象にした「自衛隊生徒（現、陸上自衛隊高等工科学校生徒）」（陸）で約17倍となっている。民間企業のようなリストラや倒産がなく、資格を取得しながら、給与がもらえて、保険・年金や福利厚生が完備し、食事や衣服や備品や住居が提供される。採用試験の倍率が高くなるのは当然で、こんな「おいしい職業」はないと思う人も多いだろう。

不自由な自衛官生活

　それでは、自衛官になるリスクにはどんなものがあるのだろうか。まず、規律ある生活を支えるために、自由が制限される。幹部や既婚者以外は、駐屯地・基地内の営舎・学生寮で寝起きし、決められた日課にしたがわなくてはならない。課業のない土日、祝日は基本的に休みで外出も可能だが、当然決められた門限がある。またパイロットを養成する航空学生以外は、たとえば陸上・海上自衛隊に採用されても、自身で職種を選ぶことはかなりむずかしい。遊びや趣味の世界ではないのだから考えてみれば当然なのだが、たとえばイージス艦に乗りたいと希望しても、それがかなうとは限らない。

国民的な理解と敬意の不足

　さらに大きなリスクとして、自衛官に対する国民的な理解と敬意が不足しているということがある。わかりやすい言い方をすると、ほとんどの男の自衛官あるいは防衛大生は合コンに出かけても、もてない。友人の幹部自衛官に聞いた話だが、男女とも、自衛官が制服で都市部のおしゃれなレストランなどに入ると、奇異の目で見られることがあるらしい。反戦・平和主義者からは基本的に嫌われているし、災害時の救助活動などでも、充分な感謝や尊敬を受けてい

るとは言えない。そして、最近になって、最大のリスク要因が生まれつつある。カンボジアの国連平和維持活動や、イラク派遣問題における自衛官の生命の危険だ。

かつては戦争で死ぬというリスクはなかった

　前述したように、わたしの故郷には自衛隊基地がある。そのためか、自衛隊は比較的身近に感じられていた。いろいろな資格が取れて、給与もまあまあで生活は安定するし、しかもどうせ戦争には行かないんだからと、自衛官になったり、防衛大学校を受験する友人が大勢いた。わたしが中学高校のころ、特に、裕福ではない家庭の子どもたちにとっては、自衛官は重要な職業の選択肢だった。冷戦のころでさえ、敵が侵略してくるというような事態は九州では想像できなかった。戦略的には核兵器が中心だったので、第二次大戦や朝鮮戦争やベトナム戦争のような通常兵器による地上戦が実際に起こるとはとても思えなかった。それに憲法によって自衛隊の海外派兵は禁じられていた。つまり、たとえ自衛官になっても、戦争で死ぬという可能性はほとんどなかったのだ。

結論：海外派兵という新しいリスク

　だが今後どうなるかはわからない。戦闘目的ではないが、復興支援目的で自衛隊は実際にイラクに派遣（2003年12月〜2009年2月）された。今後中東やその他の地域で戦争・紛争は続き、おそらくさらに拡大して、戦費の増大に耐えられないアメリカ政府は忠実な同盟国である日本に軍事的な協力を求めてくるはずだ。現在のイラクに駐留しているアメリカ軍の兵士は、平均年齢20代前半で、初任の年収1万2000ドルと家族の医療費無料という特権がのどから手が出るほど欲しい若者たちがほとんどだ。その背後には貧困か人生の挫折があり、そして市民権を手に入れたい移民1世の子どもたちも多い。

　高校のころ、「適当に勤めあげて、資格を取って、貯金して、可愛い嫁さんをもらうよ」という感じで防衛大学校を目指す友人たちに対して、それもいいかも知れないな、とわたしは言ったものだ。皮肉でも何でもなく率直な気持ちだった。今でも自衛隊にはたくさんの友人がいて、さらに取材などでも多くの自衛官にお世話になっている。わたしは彼ら自衛官の友人たちと、自衛隊の今のあり方の是非は分けて考えるようにしている。戦争や紛争で死んだり、つらい思いをしたりするのは、いつの時代も「裕福ではない家庭の子ども」である兵士なのだ。

自衛官として働く

自衛隊員の労働条件

　自衛隊員は防衛省に所属する特別職国家公務員で、基本的に下記の条件で働いている。給与などについては自衛隊法で定められているため、たとえば世情や任務にともなっての変更が生じた場合は、自衛隊法を改正するということになる。

給与	（平成22年4月1日現在の初任給）： （1）幹部候補生：大卒21万4900円、大卒（医科・歯科）：23万2000円、大学院卒：23万2000円 （2）一般曹候補生、看護学生、航空学生、任期制自衛官：15万9500円 （3）陸上自衛隊高等工科学校生徒：9万4900円（手当） （4）学生手当（防衛大、防衛医大）：10万8300円
諸手当	：住居、通勤、扶養、単身赴任、乗組、航海、落下傘、災害派遣など
昇給	：年1回
賞与	：約4.5ヶ月分　年2回（6月、12月）
勤務地	：各都道府県の駐屯地及び基地など
勤務時間	：8：00〜17：00（地域差あり）
休日	：完全週休2日制、祝日、年末年始・夏季特別休暇、年次有給休暇（24日）など
保険	：団体取扱生命保険、生命共済、団体生命保険、団体傷害保険、火災保険など
年金	：退職共済年金、若年定年退職者給付金、障害共済年金、公務災害保障
福利厚生	：宿舎、スポーツ施設（テニス、野球場、ゴルフ練習場など）、健康管理（人間ドック受診）、貯金事業（普通、定額積立、定期預金）、貸付事業（普通、特別、住宅、財形など）、物資販売事業（月賦、売店）

　雇用の面での一般公務員との大きな違いは、若年退職制と任期制を取り入れているところ。任期制は労働期間を2〜3年に区切った制度で、若い人材を確保するためのものである。いずれの場合も、再就職の必要や可能性があるため、資格取得や再就職先の援助を受けることができる。ちなみに自衛隊の隊員は、その身分によって定年退職の時期が異なる。たとえば、最高階級である将は60歳で定年を迎えるのに対し、三曹の場合は53歳と7年も差がある。

[自衛官の階級]

曹士	幹部	自衛隊
三士 二士 一士 士長 三曹 二曹 一曹 曹長	准尉 三尉 二尉 一尉 三佐 二佐 一佐 将補 将	
二等兵 一等兵 上等兵 伍長 軍曹 曹長 上級曹長 准尉	少尉 中尉 大尉 少佐 中佐 大佐 少将 中将 大将	外国（例）

- 陸上自衛隊高等工科学校生徒は卒業後に三等陸曹からスタート、防衛大学校・防衛医科大学校生は卒業後に陸・海・空曹長からスタートする。
- 航空学生・看護学生・一般曹候補生、及び任期制自衛官は二等陸・海・空士からスタートする。
- 幹部候補生は陸・海・空曹長からスタートする。

中卒で自衛官になるには

　中学校を卒業してすぐに自衛隊に入るには、陸上自衛隊高等工科学校へ入校し、生徒となることが必要。生徒は「少年自衛官」とも呼ばれ、これまでに1万6000名以上が陸上自衛隊高等工科学校を卒業している。

陸上自衛隊高等工科学校

　中学校卒業者だけが入学できる学校で、将来の陸上自衛隊において、高機能化・システム化された装備品を使いこなし、国際社会においても自信をもって対応できる自衛官を養成するために、若年時から教育を施す。防衛大臣直轄で、文部科学省の管轄外の学校であるため、神奈川県立横浜修悠館高等学校と提携しており、通信制で高校卒業の資格を取ることもできる。授業は、高校教諭の資格を持っている先生または自衛官の教官が教えていて、クラブ活動もさかん。陸上自衛隊高等工科学校はその特異性から、陸上自衛隊の中でも独特の気風を築いており、卒業生は技術的部門においてだけでなく、指揮官や幕僚、中には将官として陸上自衛隊の中枢を担っている者もいる。

採用について

　日本国籍で17歳未満の中学校卒業者または中等教育学校の前期課程修了者が応募資格を持つ。一次試験は国語、社会、数学、理科、英語、作文の学科試験で、それを通過した者が二次試験の面接と身体検査に進むことができる。身体測定には、身長（15歳150cm以上、16歳152cm以上）、肺活量（15歳2800cc以上、16歳3000cc以上）、視力（両眼とも裸眼視力が0.8以上、または裸眼視力が0.3以上で矯正視力が0.8以上）など、自衛官としての訓練に耐えうる健全な身体かどうかを計るさまざまな項目がある。なお、毎年の採用は250名ほどで、倍率は10倍〜20倍程度。

生徒の待遇

　生徒には、毎月9万4900円の手当の他、年2回の期末手当が支払われる。全員が駐屯地で生活し、宿舎は無料で、食事・被服類・寝具については、支給または貸与され、衣食住は保証されている上、週休2日に加えて祝日、年末年始及び夏季特別休暇、年次休暇が与えられる。医療施設や福利厚生も整っており、昭和期にはその待遇に惹かれて入校し、親に仕送りをする生徒なども見られた。

授業について

　授業は、一般基礎学と専門基礎学、生徒隊科目の授業に区分される。
　一般基礎学は、生徒に「初級陸曹として必要な一般教養及び専門基礎学を理解するに必要な識能について習得」させることを目的とし、一般の高校と同等の学力を生徒に身につけさせるべく、普通科高校と同じようなカリキュラムのもとで教育を行っている。教育内容も、一般の高校と同じく「高等学校学習指導要領」に準拠した内容。専門基礎学では、2年次に全学生が電気基礎を、3年次に機械科または電子科を選択し、自衛隊の装備品を整備するために必要な基礎的な知識を教育する。各科目の教育を担当する教官は現役自衛官で編成され、卒業生も多数在籍しており、勉学だけでなく、部隊での経験をもとにした各種指導も実施している。生徒隊科目は、陸曹候補者としての使命教育、戦闘・戦技技能を養成するための科目で、生徒隊の区隊長等が担任。精神教育（愛国心、民主主義、国家概念、わが国の防衛政策）、服務（生徒心得、自衛隊法、国際法）、基本訓練（各個訓練、部隊訓練、基本教練指導法）、戦闘訓練（各個の戦闘、部隊の戦闘）、野外勤務（行進・宿営・歩哨・斥候）、格闘（徒手格闘、銃剣格闘）、武器訓練（小銃の取り扱い・操作、基本射撃）、通信（無線機の取り扱い）、地図の見方（地図の用法、磁石の用法）、野戦築城（個人用掩体の構築）、野外衛生（野外衛生概説、救急法）、特殊武器防護（特殊武器防護概説）などのさまざまな科目がある。

卒業後の進路

　4年間の課程修了時に三等陸曹に着任するとともに、学校卒業時に高等学校卒業資格を得ることができるため、生徒課程を修了すると、防衛大学校・航空学生の受験資格が得られ、合格すれば幹部に昇任することもできる。多くは、航空科、高射特科（レーダーの取り扱い）、施設科、武器科、機甲科、通信科、野戦特科などに配属されるが、学校を卒業したからといって、必ずしも自衛官を続ける必要はない。中には集団生活に馴染めずに途中で退学したり、卒業後に一般の大学へ進学したり、自衛隊とは関わりのない職業に就く者もおり、それらは全体の1割程度に及ぶ。

自衛官になるには

　自衛官になるには学歴によって、いくつかのコースがある。到達点は本人の努力次第であるが、スタート時の階級と昇任のスピードは学歴によって異なる。いずれの場合も採用試験があり、その内容は基本的に筆記試験と口述試験、身体検査、適性審査などである。身体検査では合格基準が設けられており、身長や肺活量、視力などに規定があり、健康なからだを持った人が求められている。

　下記に入隊時の学歴・年齢などの種類と、それによりおこる違いを示す。

高卒（防衛大学校生・防衛医科大学校生・航空学生・看護学生）

　高卒で自衛隊に入る場合、いくつかある自衛隊専門の学校に入り、スキルを身につけるという道がある。まず防衛大学校は、一般的な4年制の大学と似ている。違いは、学費・入学金が無料で、逆に特別職国家公務員として学生手当を得ることができ、全員が学生寮に入ること。また、自衛隊において実践的スキルとなる学問を学ぶところだ。卒業後は、陸・海・空の幹部候補生学校を経て、三等陸・海・空尉の幹部自衛官として働く。もしくは大学院的存在である防衛大学校の研究科か一般大学の大学院で、さらに勉強をするという選択肢もある。

　医科幹部自衛官を目指す場合は、防衛医科大学校に入学する。防衛医科大学校生の場合、身分は特別職国家公務員。待遇は防衛大学校生と同様で、学費・入学金は無料。全員学生舎に住み、衣服・寝具・食事が貸

代または支給され、毎月学生手当が10万8300円（平成21年度）支給される。卒業後、9年間自衛官として勤務する義務があり、医師国家試験に合格、幹部候補生学校を卒業すると二等陸・海・空尉に昇任する。ちなみに9年以内に自衛隊を離職する場合は、卒業までの経費を返さなければならない。返す金額は自衛官としての勤続年数で計算される。また卒業してすぐに離職する場合には、最高で5000万円ほどを返すことになる。

自衛隊内で専門性のある職種を目指す場合、自衛隊の教育機関には、医師のほかに看護師・パイロットの学校がある。看護の仕事をしたい場合は、看護学生として自衛隊中央病院高等看護学院で3年間学ぶ。看護師免許を取得した卒業後、陸上自衛隊所属の自衛隊病院に配属され、二等陸曹として働く。パイロットや戦術航空士になりたい場合は、航空学生として入隊する。約2年間の教育課程を修了すると、飛行幹部候補生となり、海上・航空自衛隊で、三等海・空曹としてスタートを切る。その後さらに教育や訓練を受け、入隊後約4年でパイロットの証であるウイングマークを受ける。

大学卒・大学院卒
（一般幹部候補生・海上技術幹部候補生・医科・歯科・薬剤科幹部候補生・賃費学生）

採用には年齢的な制限がある。専門大学ではない普通の大学を卒業した場合は20歳以上26歳未満、大学院修了者は28歳未満であることが条件だ。医科・歯科・薬剤科幹部候補生の場合は、専門の大卒（見込み）以上で30歳未満、薬剤は26歳未満、薬学修士取得者は28歳未満であることが条件になる。

大学・大学院を卒業して自衛隊に入る場合は、いずれも幹部候補者として扱われる。普通の大学・大学院卒業者は、まず一般幹部候補生として扱われる。陸・海・空曹

長としてスタートし、三等陸・海・空尉に進む。職種は医師関係を除いたものとなる。ただし技術系の学科で学んだ場合は、海上技術幹部候補生として、海上自衛隊の施設・艦船・武器などに関わることも。医学系の大学を卒業した場合は、医科・歯科・薬剤科幹部候補生となる。いずれも陸・海・空曹長からスタートし、医科・歯科は二等陸・海・空尉に、薬剤は三等陸・海・空尉に進む。幹部候補生として所定の期間教育を受けた後、さらに昇任して幹部自衛官となり、将来的に高級幹部として組織の重要なポストにつくことができる。

またこの他に、大学（大学院）で医学、歯学、理学及び工学を専攻し、自衛隊に勤務しようとする学生は、優秀な人材確保のために学資を貸す貸費学生制度を利用することができる。貸費学生は、大学卒業後に、陸海空自衛隊の幹部候補生として採用される。学資金の額は2009年3月末の数字で月々5万4000円。貸し与えられた学資金は、貸費学生であることをやめたとき、あるいは隊員となった者が退職したときは原則として返却しなければならない。

18歳以上であることが採用条件（一般曹候補生・任期制自衛官）

特に学歴を問わず、年齢制限があるものを紹介すると、自衛隊の曹への基幹要員として採用される、一般曹候補生がある。二等士として採用後、約2年9ヶ月の（部隊勤務を含む）教育を修了すると三等陸・海・空曹に昇任する。

また任期制自衛官という、自衛隊における若い人材を維持するための制度がある。この場合は、教育部隊や一般部隊で教育訓練を受け、陸2年（技術系は3年）、海・空3年を1任期として勤務する。1任期終了後には、退職して就職することもでき、退職者は就職支援を受けることができる。また継続して自衛隊で働くことも、夜間・通信教育による上級学校への通学も可能。

ちなみに一般曹候補生・任期制自衛官にも、採用年齢27歳未満という上限がある。

その他免許取得者
（医科・歯科幹部自衛官・海上自衛隊技術幹部・陸上自衛官・看護・技術海曹）

すでに専門技術やそれを証明する国家資格を持つ人は、医科・歯科幹部自衛官・海上自衛隊技術幹部・陸上自衛官・看護・技術海曹として、自衛隊で働くことができる。

陸上・海上・航空自衛隊の職種

各部で必要に応じたさまざまな職種がある。また自衛隊では勤務していくと、資格や免許を入手することができるのが、大きな特徴である。以下では各自衛隊の職種と取得可能な資格・免許を紹介する。

陸上自衛隊

　国土の防衛と治安の維持を担う。自衛隊のなかで、最大の規模を持つのが陸上自衛隊だ。その人員数は約15万人で駐屯地は全国に約160ヶ所ある。

普通科……歩兵として地上戦の中枢を担う。陸上自衛隊のなかで、もっとも人数が多い。
野戦特科……火力戦闘部隊として、広範囲な地域を制圧。普通科を支援する。
高射特科……対空部隊として航空機などを射撃する。また対空の情報活動も行っている。
機甲科……戦車で敵を撃破するのがこの部隊の役割。偵察部隊もある。
施設科……道路や橋などの建設、測量、地図作成など。カンボジアの国連平和維持活動で道路を補修したのはこの部隊だ。
航空科……各種ヘリコプターを操縦し、対戦車ヘリコプターをはじめとする、偵察、輸送、空中機動、指揮連絡などを行う。地上部隊を支援する。
通信科……各種電子通信機材を使って、各部隊間の指揮連絡のための通信の確保、作戦情報のデータ処理などをする電子戦の主役。写真撮影などもする。
化学科……放射能及び生物化学兵器に対応する。有毒物質、放射性物質などによる汚染から地域や人員を守り、汚染されたあとは除染措置を行う。
衛生科……患者の治療、医療施設への移送、部隊の健康管理・防疫などを行う。
需品科……食料、燃料、被服などの補給、各部隊への給水、入浴、洗濯などを行う支援部隊。
武器科……火器、車両、誘導武器の整備、弾薬の補給などを行う。また不発弾の処理も担当する。陸上自衛隊員の車検もここで行われている。
会計科……各駐屯地・部隊の予算作成、資金調達、支払い、隊員の給与計算などの会計業務を行う。
輸送科……各部隊、戦車、重火器、各種補給品を輸送する。また輸送の統制、ターミナル業務、道路使用規制なども行う。
警務科……警護、道路の交通統制、隊員の規律違反の防止、違反の取り締まり、自衛隊内での犯罪の取り締まり、部内秩序の維持を担当する。
音楽科……21の専従音楽隊（音楽活動が主任務の部隊）があり、国家的行事や演奏会など各種イベントで、年間約100回ほどの演奏活動を行う。
情報科……さまざまな情報の収集、分析、処理を行い、各部隊に地図や航空写真を配布するなどの支援を行う。

［取得可能な資格］

［高射特科］	大型運転免許、牽引運転免許、クレーン免許、危険物取扱主任
［機甲科］	大型運転免許、特殊車両運転免許、自動車整備士
［航空科］	航空士、各種溶接士、ジェットパイロット／ヘリコプターパイロット等免許
［通信科］	各種無線通信士、構内交換主任、各種無線技術士、特殊無線（レーダー）技士
［化学科］	特定化学物質等作業主任者、公害防止管理者
［衛生科］	看護師、歯科技工士、臨床検査技師、診療放射線技師
［需品科］	大型／大型特殊運転免許、牽引運転免許、フォークリフト免許
［武器科］	危険物取扱主任、火薬類取扱保安責任者
［会計科］	税理士

海上自衛隊

　海上からの侵略に備え、海上交通の安全を守るのが海上自衛隊の本分である。その組織は機動部隊である自衛艦隊（護衛艦・航空機・潜水艦など）と、担当区域の海上防衛・後方支援を行う全国5個地方隊に分かれる。

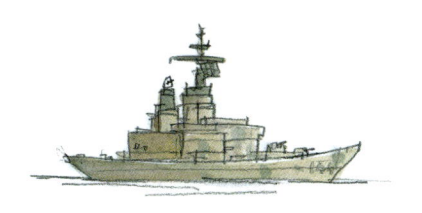

飛行‥‥‥‥飛行任務部隊。大型哨戒機、水上救難機、艦載ヘリコプターなど、海上自衛隊保有の飛行機やヘリコプターの搭乗員である。

航空管制‥‥飛行場で無線やレーダーを用いて、周辺を飛行、離着陸する航空機の誘導を行う。

航空機整備‥飛行機の機体、エンジンなどの整備を行う。航空機体、航空電子、航空武器、航空発動機、航空電気計器に分かれる。

射撃‥‥‥‥護衛艦などで、ミサイルや砲を用いて各種目標に対する攻撃を実施。ミサイルや砲の整備や弾火薬の取り扱いも行う。

航海・船務‥艦艇の艦橋で航海に関する業務を行ったり、レーダー、電波探知装置を用いて戦術活動を行う。

電測‥‥‥‥最新のIT機器を使って情報を収集し、艦船の内外に配付する。艦船の頭脳的部署。

情報‥‥‥‥情報資料の収集、処理及び情報の配付、秘密保全、映像技術及び関連機材の操作、整備を行う。具体的には写真やビデオを撮影したり、資料から情報を分析したりする。

機関‥‥‥‥エンジン発動機等の運転、整備及び火災、浸水対処業務を行う。蒸気、ディーゼル、ガスタービンの区分がある。

水雷‥‥‥‥護衛艦、潜水艦で魚雷及びソナー等水中検索武器を操作し、潜水艦の捜索、攻撃を行う。魚雷と水雷に分かれる。

掃海機雷‥‥掃海艦艇等で機雷探知機、掃海具等を操作し、機雷の処分や調整、関連器材の整備を行う。

艦船整備‥‥艦船そのものや艦船用電気器材、船用品等の修理、整備、補給に関する業務を行う。電子整備、電機に分かれる。

衛生‥‥‥‥病院における医療や健康管理、身体検査を実施するとともに、潜水に関する調査、研究を行う。

気象海洋‥‥気象、海洋観測、それらに基づく天気図類の作成を行い、海洋関係の情報伝達業務を行う。観測艦などで南極へ観測に行くこともある。

法務‥‥‥‥訴訟、損害賠償、損失補償及び海難審判などに関する業務を行う。幹部自衛官向けの頭脳労働職。

経理・補給‥旅費等の予算作成、資金調達、支払い、隊員の給与計算などの会計業務を行う。

潜水‥‥‥‥アクアラングを使用した潜水を行い、機雷等爆発物の捜索、処理、船底調査等の水中業務を行う。

施設‥‥‥‥国有財産についての管理運用や、施設器材、車両を用いての建設作業、道路工事、それらの関連器材の整備を行う。

音楽‥‥‥‥6つの専従音楽隊があり、各種イベントや儀式などで演奏を行う。

[取得可能な資格]

[飛行]	ジェットパイロット／ヘリコプターパイロット等免許
[航空管制]	丙種陸上無線通信士、航空無線通信士、航空交通管制職員基礎試験合格証明書、航空交通管制技能証明書4種類
[航空機整備]	JIS溶接／ガス溶接技能者、一般毒物劇物取扱者、非破壊検査技術者、電気工事士、電気主任技術者、情報処理技術者、高圧ガス製造保安責任者、火薬類取扱保安責任者、大型運転免許、牽引免許、危険物取扱主任、フォークリフト免許
[射撃]	4級小型船舶操縦士、乙種危険物取扱責任者、乙種火薬類取扱責任者
[航海・船務]	4級海技士、玉掛け技能、クレーン操縦士、4級小型船舶操縦士
[機関]	1級／2級ボイラー技士、ボイラー整備士、公害防止管理者、機関4級海技士（内燃）、高圧ガス製造保安責任者（乙種機械）、冷凍機主任取扱者、電気工事士、高圧ガス取扱責任者
[水雷]	4級小型船舶操縦士、危険物取扱者、火薬類取扱保安責任者
[掃海機雷]	4級小型船舶操縦士、火薬類取扱責任者、フォークリフト免許、クレーン免許
[艦船整備]	特殊無線技士、第1級陸上特殊無線技士、第1級／第2級陸上無線技術士、工事担当者アナログ第1種、第2種電気工事士、第3種電気主任技術者、危険物乙種4類、第3種冷凍機、消防設備士乙種4類、2級ボイラー技士
[補給]	危険物乙種4類、大型特殊運転免許、フォークリフト荷役講習修了証
[衛生]	准看護師、看護師、保健師、救急救命士、臨床検査技師、診療放射線技師、理学療法士
[気象海洋]	気象予報士、測量士補
[経理]	ワープロ検定、2級／3級簿記検定
[潜水]	潜水士免許
[施設]	大型／大型特殊免許、建築士、測量士、ボイラー技士、電気主任技術者、電気工事士

＊そのほか給養員、警務員、地上救難員、電計処理員などの職種があり、調理師免許、柔剣道段位、消防設備士、情報処理技術者などの資格が取得可能。

航空自衛隊

　航空自衛隊は空からの侵略を警戒し防衛にあたる。そのほかにPKO空輸支援や政府専用機による海外運航も行っている。

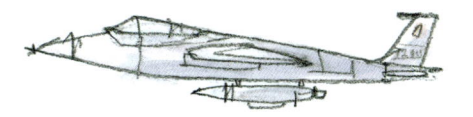

飛行	戦闘機や輸送機、偵察機、警戒管制機、救難機などを操縦し、防空戦闘や情報収集、人員、物資の輸送等を行う。
航空管制	航空自衛隊の飛行場や共同飛行場における航空交通管制業務を行う。飛行管理と航空管制に分かれる。
整備	航空機搭載の電子機器やエンジン及び地上レーダー、ペトリオットシステム等の機材整備をおもに行う。計器、油圧、車両、電気に分かれる。
武装	おもに戦闘航空団に所属し、航空機に搭載される武器弾薬及び火器管制装置などの整備、補給を行う。武器弾薬と火器管制装置整備に分かれる。
要撃管制	日本の領域及び周辺空域を常時監視し、戦闘機などの誘導管制を行う。
高射運用	ペトリオットミサイルを操作し、侵攻してくる航空機や巡航ミサイルを撃破する。操作、電子整備、機械整備に分かれる。
通信電子	各航空基地やレーダーサイトなどで使用される通信電子機器の保守点検、整備や基地間の通信業務を行う。通信、無線調査、有線整備、地上無線整備、基地防衛電子整備に分かれる。
プログラム	コンピュータの操作や各種解析、プログラムの作成、改良を行う。電算機整備と電算機処理に分かれる。
気象	航空機の離着陸及び安全確保のための気象観測を行う。気象観測と気象器材整備に分かれる。
衛生	隊員の健康診断及び各種身体検査のほか、医療保険、環境衛生、食品衛生検査を行う。
音楽	5つの専従音楽隊があり、国の行事や自衛隊の公式行事での演奏をはじめとする各種演奏活動を行う。
警備	基地の施設、物品の保護と隊員の安全確保の他、部内秩序の維持を行う。
補給	航空自衛隊で使用されるすべての物品を整備、保管し、部隊の要求に応じて出荷をする。補給と燃料に分かれる。
輸送	各種輸送の企画と、航空自衛隊に装備されている車両で、人や貨物を輸送する。
施設	基地施設の建設維持管理及び航空機事故に関しての消防救難活動を行う。電気、給汽、消防、土木建設、設備機械に分かれる。
法務	損害賠償業務や民事裁判などの訴訟業務に携わるほか、作戦における法制面での問題の処理を行う。幹部自衛官向けの頭脳労働職である。
会計	物品、食料購入や給与計算などのお金の出納に関する業務を行う。

[取得可能な資格]

[飛行]	ジェットパイロット／ヘリコプターパイロット等免許
[航空管制]	情報処理技術者、大型運転免許、ワープロ技能免許、航空交通管制職員基礎試験、航空無線通信士、航空交通管制技能証明書
[整備]	危険物取扱主任、高圧ガス取扱主任、2級／3級自動車整備士、大型／大型特殊運転免許、甲種／乙種危険物取扱者、移動車両クレーン運転免許、ガス／電気溶接技能士、電気工事士、第3種電気事業主任技術者
[武装]	火薬類取扱保安責任者、乙種機械責任者、大型運転免許、特殊無線技士、危険物取扱主任、第3種冷凍機械責任者
[要撃管制]	情報処理技術者、大型運転免許、ワープロ技能免許、航空交通管制職員基礎試験、航空無線通信士、航空交通管制技能証明書
[高射運用]	大型運転免許、牽引運転免許、クレーン免許、不発弾処理、危険物取扱主任、特殊無線技士
[通信電子]	国内電信級陸上特殊無線技士、無線通信士免許、アナログ1～3種、デジタル1種／2種、第1級／第2級陸上無線技術士、第1級陸上特殊無線技士、第1種／第2種情報処理技術者、第1級～4級アマチュア無線技士、大型運転免許、牽引運転免許、乙種機械主任者免許（高圧ガス）
[プログラム]	第1種／第2種情報処理技術者、データベース検索技術者、マイクロコンピュータ利用者認定、日商ワープロ技能検定
[気象]	大型運転免許、第1級／第2級陸上無線技術士、特殊無線技士、第3種電気主任技術者
[衛生]	臨床検査技師、診療放射線技師、理学療法士、歯科技工士、救急救命士、看護師
[警備]	大型運転免許
[補給]	自動車運転免許、大型／大型特殊運転免許、牽引運転免許、乙種機械主任者免許（高圧ガス）
[輸送]	大型／大型特殊運転免許、牽引運転免許、危険物取扱主任（乙種）
[施設]	1種／2種電気工事士、第3種電気主任技術者、大型運転免許、牽引運転免許、危険物取扱主任者、1級／2級／特級ボイラー技士、ボイラー整備士、危険物取扱者乙4類、ガス／アーク溶接技能士、大型第1種自動車運転免許、クレーン運転免許、消防整備士、防火管理者、消防設備点検資格者、大型特殊運転免許、測量士、建築士、第3種冷凍機械主任技術者、配管技術管理者

＊そのほか写真員、給養員、語学員などの職種があり、調理師免許、栄養士免許や社会保険労務士などの資格も取得可能。

参考
http://www.mod.go.jp/pco/osaka/nanba/

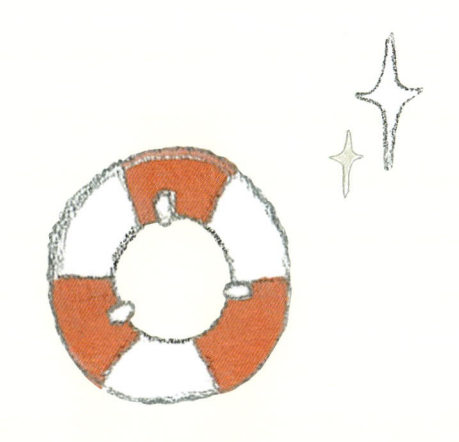

高校生・大学生のための
特別編

ESSAY　Ryu Murakami

15歳の選択

わたしの高校進学
　わたしが高校に進学したのは、もう40年近く昔のことになる。九州の西の端にある人口約25万人の佐世保市では、当時、勉強ができる生徒は進学普通高校である県立北高校に、やや劣る子は南高校に、もうちょっと劣る子は西高校に進学することになっていた。勉強がそれほどできない子は、男子が県立工業高校に、女子が商業高校に進学し、勉強が嫌いな子か駅伝が得意な子は私立の普通校である西海高校に、もっと勉強ができない子は私立実業高校に進学するものと、ほぼ決まっていた。他に聖和学園という独特の雰囲気を持つカソリック系の私立女子高があった。そして家庭の事情で高校に行けない子が、50人のクラスに1人か、2人いて、彼らはおもに関西方面に集団就職した。

「選別」
　わたしは県立北高校に進学したのだが、入学式で、校長の挨拶を聞きながら、こんなところはうんざりだ、早く卒業して出て行きたいと思ったのを覚えている。
　「君たちはもう中学生ではない。義務教育ではないので、北高の規則、校風が気に入

らなければ、他の高校に行きなさい。そして、君たちは伝統ある北高に入学を許された選ばれた生徒たちだ。エリートだ。北高の伝統を受け継ぎ、勉強にスポーツに、励んでもらいたい」

　校長はそう言った。わたしは「選別」されたのだと思った。北高はエリート校だと言われていたが、そんなことはどうでもよかった。大人たちに、ふるいにかけられるように、レールを敷かれたのだと思った。

　そんなことを思ったのは、生まれてはじめてだった。中学校までは、クラスにいろいろな生徒たちがいた。まじめで成績がいい子もいたし、手のつけられない不良もいたし、頭は良くないけど運動神経が抜群の野球部のエースやサッカー部のストライカーもいたし、まったく勉強ができなくて運動もできないけどエロ本やエロ映画に関して何でも知っている子もいたし、まったく目立たないけど友だち思いのすごくいいやつという子もいた。つまり、中学まではいろいろな子がいたのだが、「選別された」高校では、ほぼ同じような学力と家庭環境の子ばかりが集まることになったのだ。

　都市部ではきっと幼稚園から選別がはじまるのだろう。しかし慶応幼稚舎や学習院初等科など存在せず、中高一貫のハイクラスな私立学校がほとんどない地方では、だいたい中学までは、「いろいろな子がいる」学校に通うのが一般的だ。だから高校に入ったときに、わたしははじめて「選別された」という思いを持ったのだった。

高校のランクづけ

　当時の九州には、成績がよくて経済的に恵まれた生徒が進学する私立高校が、鹿児島のラサールしかなかった。だから、成績が優秀な生徒は県内の進学率の高い公立普通高校に進学した。公立の普通高校には、佐世保の北、南、西のように、若干の序列があった。その下に、工業高校、商業高校があり、さらにその下に実業高校と私立高校があって、どこにも行けない生徒は集団就職の夜汽車に乗って実社会に旅立っていった。

　もう40年も前のことだが、そういった高等学校間のランクづけは、基本的には今もほとんど変わっていないと思う。今でも、成績が良くて経済的に恵まれた生徒は、公

立か私立の比較的優秀な普通高校に行き、工業や商業などの職業高校には、機械や商業実務が好きな生徒ではなく、成績があまりよくなくて経済的に恵まれない生徒が進学する。だが、わたしが高校に進学したあとしばらくして、教育現場には革命的な変化が起こった。ランクづけに便利な画期的な指標が登場したのだ。「偏差値」である。

偏差値の誕生と追放

偏差値は、東京都港区の中学校の理科教師が、成績評価の画期的な方法として50年代末に考案した。生徒の学力を客観的に把握できるため、高校受験実績は上がり、進路指導がやりやすくなった。テストの点数だけだと難易度によって評価が違うが、偏差値は全体の中での相対的なレベルがわかる。それまでは教師の経験と勘で生徒の受験校は選ばれていたので、新しく登場した客観的な数値指標はあっという間に日本中に普及していった。また偏差値は、民間のテスト業者によって広まっていったために、最初から旧文部省の管理の外にあった。

生徒の受験校選びに最適で、しかも良い意味で勉強の意欲を刺激していた偏差値は、全国的に普及するにしたがって、単なる指標を越えた特別な存在になっていく。偏差値によって高校のランクづけが行われるようになったのだ。また、学力をつけるための基準やモチベーションという本来の役目を越えて、偏差値を上げることが勉強の目的になってしまうという現象も見られるようになった。偏差値は、受験界に文字通り君臨した。

受験戦争と呼ばれる激しい競争を象徴する存在となって、メディアも注目するようになり、やがて批判が続出した。そして90年代に入り、そのような批判にこたえる形で、当時の文部省が偏差値の追放に乗り出す。考えてみれば、公立学校で通常の授業を潰す形で偏差値を計るための民間の業者テストが行われていたこと自体異様なのだが、旧文部省の性急で強い対応は、実状に合っていない部分もあって、現場は混乱した。

業者テストに学校が関わることの禁止、偏差値を使った進路指導の禁止などが旧文部省の通達のおもな内容だった。そして、偏差値の追放と同時に、80年代を通じて主流になりつつあった「ゆとり教育」がさらに重視されるようになる。その大きな流れは、総合学科や単位制導入などの制度改革や、推薦入学、内申書と面接の重視、入試教科数の削減、複数志願制などの高校入試改革など、いわゆる「新学力観」にもとづいた教育が奨励された。

知識・技能よりも変化への適応能力、個性の重視、指導から支援という教師の役割の変化、学力評価も「知識・理解」から「観点別学習状況」、「関心・意欲・態度」の

重視へと変化していくのだが、個別の学校現場では試行錯誤が続く。そして、2007年には、また学力重視に回帰する流れが起こり、「ゆとり教育」の見直しが行われた。日本の教育は、確固たる方針を見出せないまま、いまだに揺れ動いている。

偏差値の役割

業者テストが学校で行われることはなくなったが、偏差値は2010年の今も消滅はしていない。偏差値は、受験競争を激化させた悪の根源のように言われることもあるし、高校や大学を選ぶときの指標として貴重だったという評価もある。わたしは個人的に、偏差値は触媒のような役割を果たしたのではないかと思う。指標としてのただの数値が悪の根源として機能するわけがない。

偏差値は、以前から日本社会が必要とした生徒の選別と序列化を、より効率的に行うためのツールとして圧倒的な力を発揮し、その結果、受験競争が激化した。繰り返すが、偏差値の誕生と普及によって生徒と高校・大学の序列化が生まれたわけではない。前述したように、わたしが高校に進学したころにも生徒の選別、序列化は実際に行われていた。偏差値は、序列化を恐ろしい勢いで加速させ、効率化しただけだった。日本社会は、偏差値を求めていたわけではない。序列化を求めていたのだ。

序列化の必要性

生徒、そして高校・大学の序列化は、どうして必要なのか。生徒、学生を選別しやすいからだ。いったい誰が選別するのか、そして、どうして生徒は選別されなければならないのか。それは、労働力予備軍である生徒を、成績に応じて効率よく選別できれば、工場やオフィスなどに配置しやすいからだ。日本に限らず、近代化途上にあって国力の充実を急ぐ国家は、おそらくどこでも似たような教育政策をとるだろう。無知と貧困から脱していない近代化途上の国では、生徒一人一人の適性を考え、もっとも適した形で社会に送り出すという、ていねいな教育を行う余裕がない。

わたしが高校に進学したのは、ちょうど高度成長が終わりを告げようとするころだった。当時は、生徒の序列化はまだ時代状況に合っていたのかも知れない。だが、今はどうだろうか。平均的で基礎的な知識と技術を持った大量の工場労働者が必要とされているだろうか。企業は、新卒で採用してビジネスの初歩から教え、育て上げる大量の営業・販売職、事務職を必要としているだろうか。工場ではロボットが、そしてオフィスではコンピュータが、作業と仕事のシステムを根底から変えた。仕事は、高度な知識と技術が必要な専門職と、誰にでもできる単純労働に大きく分かれてしまった。

序列はなくならない

　産業全体が大きく変化しているが、序列化はなくなっていない。理由は、教育のような複雑で巨大なシステムは、方向転換させるのがむずかしいからだ。しかも、明治の開国以来続いてきた近代化のシステムと考え方は、二度の大きな戦争を経験したが、結果的に日本を豊かにしてきた。したがって、その成功体験から自由になるのも簡単ではない。

　日本の教育は、一人一人の子どもの適性を活かし自立させるためのものではなく、規律をよく守り、ある程度の知識と技術を持った工場労働者と兵士と事務職を大量に社会に供給するためのものだった。そして、近代化が終わり成熟社会を迎えた今も、いまだにそれが基本となっている。だから、偏差値が学校現場から追放されても、ゆとり教育が重視されまたその見直しが行われても、ほとんど関係なく、序列はなくならなかった。

13歳は制度変化を待てない

　問題は、「学力第一主義」がいいのか、それとも「個性の重視・ゆとり」にすべきか、ではない。「労働力」という曖昧で画一的なモデルに集約する教育から、「一人で生きていける人材に育て上げる」という方向に変えるべきだと思う。そのためには、小学校から、教育に「職業訓練」を織り込む必要がある。そして、文科省からトップダウンで、システムを押しつける形で全体を変えるのではなく、保護者・家庭、個別の学校、地域、自治体などあらゆるレベルで、考え方とシステムを変えていくことが重要だろう。そういった変化は、すでに少しずつ、個別の学校や自治体ではじまっている。

　しかし、今を生きる13歳は、教育制度の変化に期待し、待つわけにはいかない。教育が現実に対応していなくても、15歳になると、「進路」を選びとらなければいけない。現在、15歳人口はピーク時の半分以下になっていて、高校受験、そして大学でも、一部の上位校を除けば、いずれ「全員入学」になるという予想もある。少子化のせいで、高校や大学への入学も20年前に比べると格段に簡単になっている。だが、進路を考える15歳が20年前に比べて恵まれているとはとても言えない。

高卒者の憂うつ

　今の高校生は、わたしが高校に進学した40年前よりも、はるかに厳しい現実に直面している。40年前は高度成長の絶頂期で、わたしの街では、佐世保重工業という造船

所が工業高校の卒業生のほとんどを受け入れていた。発展を続ける市内の商店街では、常に事務職や販売員が不足していた。普通校を卒業して就職する生徒も、工業や商業の職業高校を卒業した生徒も、それらよりランクが下の実業高校や私立校の卒業生も、就職先に苦労することがなかった。

　現在の高等学校は、普通高校、職業高校を問わず、大学や専門学校の予備校となっているような印象がある。大学、短大、専門学校を合わせると、進学率が7割を超えるようになったからだ。ただし、進学希望者の中には、高卒では就職できないし、就職できても条件が悪いという理由による「不本意な進学者」が多く含まれる。少子化で就職希望は減り続けているが、それでも高卒者の就職は簡単ではない。

　理由は、企業が、技能労働者の基礎的な学力について、高卒より大学卒を求める傾向を強めているからだ。地方の中小企業や商店でも、販売職や事務職など、高卒女子に多かった職種にも大卒者の占める割合が増え、かつて中卒者が就いていた職業に高卒者が、高卒者が就いていた職業に大卒者が就くようになった。厳しい競争にさらされる企業は、お茶くみや簡単な事務処理で数年勤め、そのあと結婚して退職するというような女性社員を雇う余裕がなくなり、さらに地方では公共事業が減り続けて、土木建設や不動産、それに運輸業などが衰退し、新卒の社員を雇うことがむずかしくなっている。

高等専門学校

　もう20年も続いているロボットコンテストの主役であり、大学の理学部や工学部にも決してひけを取らないという評価を得ていた高等専門学校でさえ、高学歴化という流れの中、優秀な生徒を充分に確保できないという状況に陥っている。わたしの故郷佐世保は、造船の街ということで、1962年に第一期校として高専が新設され、優秀な生徒が先を争って進学した。倍率も高かったし、生徒たちは基幹産業である製造業を支えるという誇りにあふれていた。しかし、やがて、かつては高専を目指していた優秀な生徒が、有名大学の理学部や工学部を目標とするようになっていく。

　高専はロボットコンテストの先駆けであり、ある意味で、「製造業の王者日本」を象徴する存在だった。工業と商船と電波（電波高専は09年にすべて廃止・統合された）という男っぽい硬派のイメージがあり、かっこよかった。しかも高専は、産業構造の変化に適応できる学科の新設や改編に常に取り組んでいて、工業系でも電子制御学科や情報工学科をいち早く取り入れてきた。最近では医療機械工学や医療情報工学、工業デザインやアニメーションなど、人気の高い学科を新設している。

そしてもちろん現在でも、大勢の優秀な生徒たちが高専に進学し、就職内定率はほとんど100%だと言われる。だが、高学歴化の波は確実に高専にも押し寄せていて、5年の本科課程を終えた生徒のうち約4割が専攻科や大学に進学している。大学化する高専や、生徒が思うように集まらないという理由から近接した複数の高専の統合も増えている。

序列化と高学歴化は誰も望んでいない

　高専の現状は、高学歴化と、生徒個人と学校の序列化による教育の衰退を象徴している。長い間日本の製造業の現場を支える「エリート職人」の供給源だった高専でさえ、大学進学率の上昇とともに、生徒の確保に苦労するようになった。考えてみると、奇妙な話だ。塾や予備校など営利の教育産業を除いて、誰も望んでいないのに序列化と高学歴化は進行している。

　まず当の生徒にとって、学歴や偏差値による序列化と進学の圧力は、過重なプレッシャーとなってのしかかるだけで、能力の開発と自立にとって何のメリットもない。文科省の教育方針の変化に関係なく序列化と高学歴化が進行することで、学校現場は混乱し、保護者の心理的・経済的負担も、確実に増えている。企業にしても、有名大企業以外は、成績上位の学生を確保するのがよりむずかしくなった。

　文科省も、何とかして序列化と高学歴化に歯止めをかけたいと考えているのだと思う。中高一貫の公立高校や総合学科を新設したり、学力観を再検討したり、偏差値を追放したり、ゆとり教育を提唱したり、またそれを見直したりという試行錯誤を繰り返すのは、行き過ぎた序列化と高学歴化による歪みを何とかして是正しようという目的があってのことだと思われる。

　高学歴化と序列化は、無知と貧困から脱した成熟社会にとって、明らかに合理的ではない。近代化を成し遂げた社会は、集団としての一律の労働力ではなく、多様な個人の能力を必要とする。そして、そのことを認め、受け入れ、育てることができる教育システムが求められるが、学力テストや入試だけの評価では、多様な能力を発見できない。

　今のわたしたちの社会は、いろいろな分野で才能を発揮するかも知れない人材を、早い時期から序列化し、学歴取得以外の可能性を閉ざすことで、潰している。すべて

の子どもと若者に向かって、安定した公務員になる以外幸福に生きる道はないと日々アナウンスしているのと同じだ。

　誰もがそのことをうすうす感じていながら、高学歴化と序列化がなくならないのは、前述したように、教育の大きな方向転換がむずかしく、文科省のトップダウンによる教育政策がもはや機能しないからだ。「労働力」という画一的なモデルに集約する教育から、「一人で生きていける人材に育て上げる」という方向に全体が変わるまでには、ひょっとしたら50年か、100年かかるかも知れない。

15歳の選択

　まず、結論から述べよう。15歳は、どんな進路を選んでもいい。前述してきたように、進路は高学歴化と序列化で歪んでいる。だが、必ず選択肢はある。ただし、絶対的な条件がある。自分で選ぶのだ。もちろん、教師や保護者の意見を聞き、相談するのは当然だ。だが、最後は、自分で進路を選びとらなければいけない。自分で進路を選びとる場合には、自分で情報を集めようという意欲が湧く。だが他人に指示され強制された進路は、情報を自ら得ようとしないから、何も知らないまま入学して裏切られたような思いに陥りやすい。そして、「自分で選んだもんじゃないし」という弁解ができるから、少しでもイヤなことがあると努力を止めてしまう。

　だが、自分が何に興味があるのかわからない場合は、自分で進路を選びとることがとてもむずかしくなる。興味の対象がわからない15歳はきっと多いだろう。これまで繰り返し述べてきた理由によって、わたしたちの社会では、いまだに、興味がある分野と出会うことより、偏差値の高い高校や大学に行くことのほうが優先されているからだ。だから多くの子どもは、興味がある分野と出会うことがどれだけ大切か、知らないまま15歳になってしまう。現実的には、この分野に進みたいという目標を持っている子どもは、全体のごく一部だと思う。

　だから、好奇心を持ち続け、いつか必ず興味ある分野と出会うという強い気持ちを、どこかに抱いていなければいけない。「興味のある分野」というのは、ミュージシャンとか、看護師とか、アパレルの販売員とか、車の設計士とか、そういった特定の職業でなくてもかまわない。音楽、医療、ファッション、機械、というように、もっと広い範囲が「分野」だ。小学校、中学校と、自分はどの科目に興味を感じたか、あるいは、そんな科目はいっさいなくても休み時間や放課後に興味があることがなかったか、そういったことを考えて、『新13歳のハローワーク』を、目次から、もう一度読みなおしてほしい。

ただし、興味のある分野がわかったとしても、選択の幅は無限ではない。学力・成績と、家の経済力で、選択は限定される。だが、そんなことを恐れたり、興味のある分野をあきらめる必要はない。この『13歳の進路』では、フリースクール、高卒認定試験（旧大検）、専門学校、高専、大学、通信教育、奨学金、資格予備校、職業訓練施設、そして自衛隊まで、ありとあらゆる可能性と手段を紹介する。興味のある分野がはっきりすれば、あとはここで示されたさまざまな施設と制度を組み合わせ「利用」して、現実に立ち向かえばいいのだ。途中で、失敗してもかまわない。普通校に行って、まったく合わず中退しても、高卒認定試験を経て、再チャレンジするのは可能だ。

　自分で選んだ進路は、まさしく自分のものだ。進路の先には、きっと15歳が憧れる目標があることだろう。たとえば、看護師を目指す15歳の女子は、いろいろな選択肢を持っている。家にも自分にもお金がなければ、公立の看護高校を選び、まず准看護師の資格を取り、病院で勤めながら、奨学金をもらって大学に編入して、正看護師の資格を取ることも不可能ではない。花や植物に興味があったら、農業高校で基礎的な園芸を学んだあと、通信教育でガーデンデザインを学ぶこともできる。

　進路を自ら選びとるのは、簡単ではない。不安もあるし、迷いもあるはずだ。しかも、たとえば、准看護師として働きながら勉強して四大の看護学部に編入するのは、非常に大変だと思う。通信教育でガーデンデザインを学んだからといって、すぐに仕事はできないだろうし、園芸設計の会社に就職するのも簡単ではないだろう。だが、忘れないでほしい。この世に、簡単な仕事など、ありはしないのだ。たとえ、簡単ではなくても、非常な困難がともなっても、自分で選びとった進路ならば、何とか現実に立ち向かう気力が湧いてくる。

　わたしが高校に進学した40年前よりも、今のほうが状況が厳しいが、その代わりに、40年前には存在しなかった施設や学校や制度がある。40年前には専門学校はなかったし、職業訓練施設や奨学金も不充分で、通信教育といえばペン習字しか知らなかった。確かに就職は今よりも楽だったが、その職種は限られていた。40年前と今と、どちらがいい時代なのか、それはわからないし、どうでもいいことだ。ただ、40年前は、選択肢が少なかった。まるで生まれる前から決められたことのように、工業高校の卒業生は造船所で働くしかなかった。今は、違う。選択肢は増えている。自分で選びとるかどうか、問題はそれだけだ。

営業・販売とはどういう仕事か

　職業は何ですか、と聞かれて、おそらく多くの人が「サラリーマン」と答えるかも知れない。だが、実際には「サラリーマン」という職業はない。サラリーマン、ビジネスマン、キャリアウーマン、OLなど、いろいろな呼び方があるが、要するに会社から給料をもらって生活している人のことで、その仕事は、非常に多くの種類に分かれている。

　民間企業というのは、基本的に利益を追求する組織だ。企業は、効率的な活動を行うために、大まかに言うと、「商品・製品」「営業」「管理」という、三つの部門に分かれている。商品・製品は、製造業なら開発生産部門、商社や流通なら仕入部門に当たる。ホテルや旅行社などのサービス業では、商品開発だ。そうやって作られた商品・製品を顧客に売るのが営業部門ということになる。そして管理部門は、企業が進むべき方向性を決め、商品・製品部門と営業部門の働きを調整し、さらに財務や宣伝なども担当する。

　どの部門も重要だが、商品・製品を「売らなければ」利益は生まれようがない。だから、どんな企業でも、営業部門は全体の中核を担うことになる。だが、実際に営業がどんな仕事をしているのか、営業という仕事では何が重要になるのか、あまり知られていない。そこで、いろいろな意味で最先端だと思われる企業人の方々に、「営業と販売」という仕事について、次の三つのテーマでエッセイを書いてもらうことにした。

「営業・販売というのはどんな仕事ですか」
「営業・販売において、もっとも大切なことは何ですか」
「営業・販売に興味を持つ高校生・大学生にアドバイスをお願いします」
　13歳ではなく、高校生・大学生をアドバイスの対象としたのは、就職を考えなければいけない年代だからだ。寄せられたエッセイは、いずれも「営業・販売」という仕事の本質について書かれている。企業においてもっとも一般的な「営業・販売」の仕事とはいったいどんなものかを知り、就職活動の参考にしてもらいたい。

エッセイ執筆者一覧

ユニ・チャーム株式会社　代表取締役 社長執行役員　高原豪久

株式会社ミキハウス　代表取締役社長　木村皓一

株式会社ティア　代表取締役社長　冨安徳久

株式会社　ジェイティービー　代表取締役社長　田川博己

株式会社エイチ・アイ・エス　代表取締役会長　澤田秀雄

株式会社ヤマダ電機　代表取締役会長兼CEO　山田昇

株式会社ダスキン　代表取締役会長　伊東英幸

株式会社AOKI　執行役員 横浜港北総本店総店長　町田豊隆

野村ホールディングス株式会社　執行役社長兼CEO　渡部賢一

加賀電子株式会社　代表取締役会長　塚本勲

株式会社ジャパネットたかた　代表取締役　高田明

日本マクドナルドホールディングス株式会社
代表取締役会長兼社長兼CEO　原田泳幸

大和ハウス工業株式会社　代表取締役会長兼CEO　樋口武男

株式会社ニトリ　代表取締役社長　似鳥昭雄

三菱地所ホーム株式会社　東京事業部所長　前川達也

株式会社21　相談役　平本清

営業 | ESSAY | 特別寄稿

ユニ・チャーム株式会社　高原豪久(たかはらたかひさ)

1961年愛媛県出身。1986年、成城大学卒業後、三和銀行（現、三菱東京UFJ銀行）入行。1991年、父である高原慶一朗氏（現、会長）が創業したユニ・チャームに入社。1994年、嬌聯工業（台湾）副董事長。1995年、取締役。2001年6月社長就任。不織布・吸収体の加工・成形技術を生かして、高品質な商品開発と積極的なマーケティング活動を通じてベビーケア、フェミニンケア、ヘルスケア、クリーン＆フレッシュ、ペットケアの5つの事業分野を展開。現在、東アジア・東南アジア・オセアニア・中東諸国、北アフリカなど世界80ヶ国以上で紙オムツや生理用品などを提供している

ユニ・チャームという会社

　ユニ・チャームという会社はテレビのコマーシャルでも目にしてご存じの方も多いでしょうが、世界80数ヶ国・地域で子ども用や大人用紙オムツそれに生理用品などを製造・販売している会社です。

　この本を手にした高校生、大学生の方はおそらく1980年代終わりから90年代半ばに生まれた人ですね。布おむつがほとんどだった日本に紙オムツが入ってきたのは1977年ですから、皆さんの多くは「紙オムツ世代」であり、2人から3人に一人は当社の『ムーニー』ちゃんか『マミーポコ』を穿いて大きくなったことになります。女性だと多くの方が生理用ナプキン『ソフィ』を使っていただいているはずです。

　もともとユニ・チャームはビルの壁など建築材料を作る会社として1961年に誕生しました。創業者である私の父は、23人の社員とともに木クズとセメントを混ぜて作る木毛セメント板を体中ほこりだらけになりながらトラックに積み込んで、時には自分で運転して売り歩いていました。

　上昇志向の強い父は、大きな建設会社から製品価格を値切られる建材事業よりもっと大きなビジネスチャンスはないかと日々悩んでいたといいます。今でこそユニ・チャームは事業分野を五つ確立してライフサポートインダストリーを標榜していますが、当時は**単純に「もっと儲かるものはないか」と考えていたようで、いろいろ探し回った末に出会ったのが生理用ナプキンでした。**

チャームナプキンの誕生

　ユニ・チャームが生理用ナプキン『チャームナプキン』を発売したのは創業から2年後の1963年ですが、当時は売られていたナプキンのほとんどがアンネという会社の製品でした。信じられないかも知れませんが、そのころ生理は恥ずかしいものと考えられていましたので、

女性が薬局・薬店に買いにいくとナプキンはナプキンだとわからないように茶色い紙袋などで包まれて渡されていました。ですからユニ・チャームの営業が「これはいいナプキンですから扱ってください」とお店に売り込んでも、ブランドを指定して買う習慣がありませんでしたので、アンネの牙城はなかなか崩せませんでした。そこで大きく発想を転換することにしました。「ナプキンを隠さないで売ってもらおう」「いいものはいいと訴えていこう」「生理は恥ずかしいものではなく、女性なら当たり前のことで、むしろ堂々と買ってもらえるものにしよう」

　もとはといえば、1962年に日本生産性本部の米国視察団に参加した父が、アメリカのスーパーマーケットでいろいろな種類のナプキンが堂々と売られているのを見て驚き、いつか日本もこうなると考えて、帰国後早々に始めた事業でしたので、品質のよい製品を作れば必ず受け入れられると信じて、生産部門に負けず劣らず営業部門も工夫に工夫を重ねました。日本でもやっとセルフサービスのスーパーマーケットという業態が出始めたころでしたので、営業はそこに活路を見出して、商品説明はもちろんアメリカの話をしたり、売場の提案をしたり、知恵を絞って売り込んで、また当時としては画期的な明るいテレビコマーシャルも流してナンバーワンの地位を築いていきました。

　ここで、たとえば文化祭の模擬店などを想像してください。仲間と一所懸命に作ったものを売るときには、どんな気持ちで売るでしょう。クッキーでもいいです。自信たっぷりの美味しいクッキーができたとします。それでもそう簡単に売れるわけではありません。ポスターを貼ったり、チラシを配ったりします。値段の設定も考えなければなりません。売るのにいい場所を確保したり、カゴに入れて売り歩くこともします。そう、Products（この場合はクッキーの美味しさ）だけではなくて、Promotion（ポスター・チラシ）やPrice（値段）、Place（場所）など四つのPを駆使するのも営業なのです。しかしこれは基本中の基本に過ぎません。

まず人間関係を築く

　私が台湾に赴任したときの話を書きましょう。銀行勤めから1991年にユニ・チャームに入社して3年後の1994年、海外赴任を言い渡されました。台湾の会社は、現地の資本を入れて共同経営（合弁）していたのですが、商品戦略が失敗して約2億円もの赤字を抱えて、そのために台湾側との信頼関係も崩れていました。親会社であるユニ・チャームから、しかも創業者の息子である私が乗り込んでいくのだから、現地は警戒しないわけがなく、表面上は別にしてなかなか受け入れてもらえませんでした。しかし知り合いもおらず孤軍奮闘でやる決意をすると開き直れるものです。台湾など中華系の国では、お酒を飲むときには「乾杯（カンペイ）」と言って飲み干すことで信頼関係の入り口に立てることが一般的です。自分のペースで飲みましょうという意味で「随意（スイイ）」と言

うこともあるのですが、自分の使命を考えるとそうも言っていられませんでした。

　何事もそうですが、一人でできることなど、たかが知れています。私が台湾で一軒一軒商談できるわけもありません。当時の台湾の社員二百数十人ととにかく**人間関係を築くことを第一に考えました**。片言の台湾語を操りながら、アフターファイブには一緒にボウリングに行ったり、休日には温泉に行ったり、ホームパーティーは数え切れないほど開催しました。信者というと宗教めいて聞こえますが、一所懸命努力すると本当に自分の信者が増えていくのです。信者が増えるとどうなるのでしょう。これはビジネスの世界では昔から言われている話なのですが、信者という字をくっつけると「儲かる」という字になります。信者は社員だけではありません。営業として売り込む取引先もそうですし、自社の製品を気に入ってくれる消費者もそうです。「あの人の言うことなら大丈夫」という信者が増えれば増えるほど儲かるのです。そして「あのブランドなら間違いない」「あの会社なら信用できる」と信者が増えれば、儲かるのです。

営業の目指すところ

　若い人には「儲かる」という言葉に抵抗を感じる人がいるかも知れません。ユニ・チャームが生理用品市場に参入してから、市場規模は三十数億円から約1000億円と30倍以上に拡大しました。同じように子ども用紙オムツは15倍以上に、大人用紙オムツは10倍以上に拡大しました。では儲かったのはユニ・チャームだけでしょうか。競合も儲かりました。スーパーマーケットやコンビニエンスストアも儲かりました。中間流通としての卸売業や物流業者、また製品の材料を供給する会社も儲かりました。そこで働く人々の給料が増えて、その家族も豊かになりました。

　経済的な豊かさだけではありません。高品質のナプキンによって、女性が快適に働いたり日常を過ごすことができるようになりました。紙オムツの出現によって洗濯などの家事の時間が短縮されて、お母さんは皆さんに愛情を注ぐ時間が増えました。また皆さんと外出する機会も増えたはずです。

高校生・大学生のみなさんへ

　営業と聞くと、口八丁手八丁で製品を売り込む姿を思い浮かべるかも知れません。しかし、口下手だからといって営業に向かないことはありません。ここまで読んでいただくと営業の目指すところは「豊かな社会を実現すること」だと気づくはずです。必要な才能・資質を敢えて挙げるとすれば、「社会の役に立ちたい」という強い気持ちの持ち主、逆境にあっても「正直で素直」な心の持ち主、小さなことでも「約束を守る」正義感の持ち主です。

　教育現場で経済のことを学ぶ科目としては、高校では「現代社会」と「政治・経済」、中学では「公民」のようですが、こと企業に関して、さらに「営業・販売」も含めた働き方にいたっては、あまりにも学ぶ機会が少ないようです。そういった点からも、本書の果たす役割は大きいと思いますし、今回の新版では〝会社勤め〟の現場が「プロ」によって活き活きと描かれて、皆さんが閉塞感を打ち破って夢を持てる働き方の選択肢が増えたのではないでしょうか。

　また逆説的ですが、会社に入ると選択肢は消滅して「営業・販売」という最前線に立たねばなら

ないこともあります。それでも会社という器の中にあって、"向かってくる壁は、避けるよりも突破するほうが楽だ"と実戦で学ぶことは、必ずや皆さんの血肉になるでしょう。**若さは全方位であり、無限の可能性を持っています**。自分で自分の限界を決めるくらいなら、働くことを「**職業**」から探すのではなく、魅力的だと思う会社に入ってから自分の「**天職**」を見つけてやろう、と考えてみませんか。

営業 | ESSAY | 特別寄稿

株式会社ミキハウス　木村皓一

1945年滋賀県出身。1971年に夫婦で創業した三起産業を母体として、1978年に三起商行株式会社を設立。「ミキハウス」などのブランドで、子ども服を中心としたファッション商品の製造販売、出版事業などを行っている。また、教育事業や子育て支援事業を展開するほか、スポーツ選手の支援やジュニアスポーツ選手の育成にも積極的に取り組んでいる。

「営業・販売」とはどのような仕事か

「営業・販売」とは、商品やサービスを買っていただく前に、まず自分自身を買っていただく仕事です。

ミキハウスを創業したころ、九州に初めての営業に行き、くる日もくる日も、自信を持って作ったサンプルを見ていただけない日が続きました。鹿児島、八代、熊本、長崎、久留米、博多……。博多のホテルで気づいたのは、「商品を売ろう、売ろう」とあせる自分の姿でした。翌日の小倉では、「私はこんなことができます。お店に何かお役に立つことはありませんか？」とアプローチし、初めてたくさんのご注文をいただくことができました。驚いたのは、お店が次の都市、またその次の都市のお店を紹介してくれたこと。営業とは、人と人のつながりなのだと実感した経験です。

情報化が進んでも、基本となるのは人と人のつながり。**「営業・販売」という仕事とは、お客様の気持ちになって、相手が自分に何を求めているのか、相手にとってプラスになる人間かどうかを考え、そのための努力を惜しまないこと**だと思います。

「営業・販売」において、もっとも大切なことは何か

何をするにも「こんなものなんだ」と思わないこと。

ミキハウスの歴史は、常識といわれることを否定することで作られています。

商品の運送に1週間近くかかっていた三十数年前でも、九州地区には○○運送、中国地区には△△運送、北陸地区には××運送……といったぐあいに、ほとんどの地域に翌日荷物を着ける運送会社があることがわかり、「スピード」というサービスでお客様の信頼を得ることができました。

当時、子ども服は子ども服屋さん、子どものくつはくつ屋さん……というのがふつうでしたが、

自社の子ども服に合うくつを作り、それに合うぼうしやバッグを作り……というふうにトータルで展開したのは、ミキハウスが初めてでした。その後も、子どもたちを取りまくことに関わりたいと、文具や絵本を作り、さらには教育やスポーツ支援など、子どもたちの夢を育てる事業に取り組んでいます。

　夫婦ふたりの小さな会社でしたが、売上の1割もの予算で大学生の採用を決意したこともあります。「こんな小さな会社に来てくれる学生がいるわけがない」とあきらめていたら、今のミキハウスはありません。あのとき入社した5人からスタートした若い力と、それ以上に、真っ白な気持ちで入社してくれた学生たちへの「いつか胸をはって名刺を出してもらえる会社にしたい」という思いが、ミキハウスの発展につながったのだと思います。

　既成概念にとらわれず積極的にチャレンジすること、過去の実績やマニュアルに関係なく、目標に向けて工夫と努力を重ねること。それがもっとも大切なことです。

「営業・販売」に興味がある高校・大学生に向けてアドバイスを

　自分の『イメージ』を大切にしましょう。

　いい『イメージ』を持つ人とは、言い換えれば魅力的な人です。いい『イメージ』を持った人に会うと、幸せで楽しい気持ちになります。いい『気』をもらう感じがします。また会いたくなります。

　いい『イメージ』は、人生の夢を持つこと、目標に向けて努力すること、余裕を持つこと、仕事でも遊びでも好きなことに没頭できる時間を持つこと、などから生まれます。「営業・販売」の仕事に興味があるあなたにとっては、あなた自身の『イメージ』が一番の財産になります。

　鏡を見て、相手の気持ちになって考えてみましょう。

「あなたからモノを買いたいですか？」
「あなたからサービスを受けたいですか？」
「あなたと会って楽しいですか？」
「あなたと会えて幸せですか？」
「あなたともう一度会いたいですか？」

営業｜ESSAY｜特別寄稿

株式会社ティア　冨安徳久(とみやすのりひさ)

1960年愛知県出身。1997年、㈱ティア設立。2006年、名証セントレックスに上場。中部圏初の葬祭上場企業となる。2008年名証二部へ市場変更。2009年10月現在、直営店・FC店合わせて36店舗、日本で一番「ありがとう」と言われる葬儀社を目指している。著書に『ぼくが葬儀屋さんになった理由』他がある。

葬儀社の仕事とは？

「葬儀社」＝「究極のサービス業」だと考えます。なぜ「究極」なのかと言えば、唯一(ゆいいつ)、葬儀社が携わるお客様は「ご遺族」だからです。一般的なサービス業であれば、通常、お客様の心理状態は普通ですが、「ご遺族」と呼ばれる「葬儀社のお客様」は、大切な方を亡くされ、悲しみに打ちひしがれた心理状態の方だからです。**深い悲しみで途方に暮れる究極の場面で、その不安・悲しみに寄り添い接客・サービスを行うのが「葬儀社の仕事」です。**

そのような場面において、通夜から葬儀・告別式をご遺族に成り代わりプロデュースする仕事です。過去から未来へとつなぐ命の尊さや感謝の想いを形（儀式）にし、お見送りする黒子(くろこ)的な仕事が、葬儀社の仕事なのです。

本来、人間にのみ存在する「相手が喜ぶと嬉しい」という第三の本能を、究極の悲しみの場面において儀式に則(のっと)り、想いに則り、形あるサービスだけではなく、愛のあるサービスで心配りをし、人生の最後に迎える「悲しい死」を「有り難い感謝」にすることがわれわれ、葬儀社の仕事（使命）なのです。

（葬儀社における）営業・販売とは？

ティアは「葬儀」・「死」・「仏様」を扱っている葬儀社です。一般的に言えば、誰もが忌み嫌い、遠ざけ、考えたくもないことを仕事としています。ただし、この世に生を享(う)けたなら、誰もが通る道です。今の医学では「死」を避けては通れません。

では、葬儀社の「営業・販売」とはどのように考えればよいのか？

その答えは「お客様の死に対する意識改革」こそが重要だと思います。**生前に考えるのは不謹慎だ！　という風潮を払拭(ふっしょく)すべく「死」を考え、人生の中に受け容れていただき、自らの人生の最後**

を考えることが、ひいては、葬儀社の営業・販売になると思います。もう一度言います！誰もが避けられない通るべき道（死）です。であるなら、命の時間を受け容れ、生きている時間を大切にすることを発信し続け、知っていただくことを最大の営業・販売と考えての宣伝広告やわかりやすい情報発信こそが必要不可欠だと考えます。スパンは長いかも知れませんが、一生に一度しかないその方の最後（死）を、「ティアにやってもらってよかった！」、「いつかまたお願いする時がきたら、絶対にティアさん（○○さん）でお願いします！」と言っていただけるように、「施行（葬儀の現場）が最大の営業の場である」ことを肝に銘じながら、一件一件の葬儀を大切にしています。

　どんなビジネスでも同じです。同じお客様はいません。つまり、葬儀ビジネスで言えば、同じ「死（葬儀）」は一つもありません。その場面が営業そのものであり、販売そのものです。そのために、誰かのために心から尽くすことが私のやりたいことです、と心から言える自分自身になることが、葬儀社への偏見や差別を取り除き、人間的魅力と葬祭企業の魅力（理念）を最大限に活かす営業・販売だと確信します。

　これまで消費者がタブー視していた「死」、それを葬儀社サイドの考えでブラックボックス化していた事実があります。それらをごく普通のビジネスにすること。つまりは異業種同様に認知拡大するための発信や行動をしていく、当たり前にやることが、これからの消費者を思う葬儀社のあるべき姿だと思います。ティアでは、営業・販売のあり方（成功）は「企業に存在する理念」をウリにできるかどうか？　それだけだと考えます。

営業・販売でもっとも大事なことは何か？

　一言で言えば、「**その扱っている商品（サービス）に惚れ込むこと**です。またはそれを、探すことです」。他にも大事なことはありますが、もっとも大事というか、前提となるのはそのことです。

　少なくとも、「そんな商品、俺は要らない、絶対に買わない」とか「そんなサービスなんか、受けたくない」とか思っているモノ・サービスを他人（お客様）に勧めることはできないと思います。一時は騙せても、絶対に長くは続きません。

　そのモノ・サービスを充分に理解し、納得したならば、お客様に自信を持って勧められるはずです。自分自身も欲しがるような「モノ・サービス」でなければ、上辺だけの営業・販売トークしかできないでしょう。

なぜ惚れ込まなければならないか？　と言うと、そうならなければ「やらされ感」から逃れられないからです。営業・販売の仕事は、「ろくな商品じゃないけど、ろくなサービスじゃないけど」、売らなきゃ、クビになるから、売らなきゃ金にならないから、でやっていたら毎日が面白くないです。面白くない時間をたくさんにしたら、何のために働いているのかがわからなくなります。**とことんその商品の特徴や良さを追求してみることです。もしそれが一つも感じられない商品（サービス）なら、あなた自身が惚れ込める商品（サービス）を扱っている会社に転職することです。自分自身が勧めたい商品（サービス）に出会うことです。探すことです。**

「営業・販売」に興味を持つ高校生・大学生にアドバイスを！

まずは、この問いかけにどう答えますか？

人が好きですか？（自分が好きですか？）
人の性格・行動・言動に興味がありますか？
笑顔は好きですか？　笑顔は得意ですか？
「一所懸命」が好きですか？

どんな仕事もそうですが、特に**「営業・販売」は、自分自身との闘いです。同じ場所に何度訪問しても、そう簡単には売れません。何度訪問しても「今日が初めての訪問」くらいの強い心でワクワク感、ドキドキ感を持たなければ仕事は面白くなくなります。**

同じ人に会っても、同じ会社を訪問しても、「今日この日、この時間に会うのは初めて‼」
「初めて」の心構えだから
　……人に会える楽しみにワクワク。自分が気に入られるかドキドキ。
「初めて」の心構えだから
　……初めてだから、ワクワクするから笑顔になれる。
「初めて」の心構えだから
　……何を今日は言われるのだろうと、ドキドキ。
「初めて」の心構えだから
　……初心に返り、常に一所懸命でいられる。
最初はみんなドキドキ、ワクワク、一所懸命ですよね。
営業・販売の極意は「（何でも、毎日）初めて」と取り組むことです。
それが営業・販売を楽しむ秘訣だと、私は思います。

141

営業 | ESSAY | 特別寄稿

株式会社　ジェイティービー　田川博己

1948年東京都出身。慶応義塾大学商学部卒業後、㈱日本交通公社（現JTB）入社。別府支店、本社国内旅行部、海外旅行部勤務。川崎支店長、米国法人副社長を経て、2005年に専務取締役、2008年7月より代表取締役社長。日本エコツーリズム協会副会長、JTB「交流文化賞」実行委員などを務め、観光振興に積極的に取り組んでいる。

「営業・販売」の仕事とは

　旅行会社での営業・販売の仕事は、個人一般のお客様に国内・海外の旅行商品を販売する業務と、法人・組織団体・学校などのお客様に営業する業務と2種類に分けられます。一般的に「販売」は、一般消費者に旅行商品という「モノを売る」仕事で、店舗やインターネットなど販売のために整備した仕組みの中で仕事を行います。「営業」は法人組織などのお客様や取引先に対して、旅行を通じて組織の目標達成や課題を解決するための「価値を提供する」仕事です。修学旅行もこれに含まれます。しかし、実は社内では一般消費者に旅行を販売する業務も「個人・グループ営業」といい、「法人営業」とともに「営業」という言葉を使用しています。個人でも法人でも、お客様からJTBを利用してよかったと思われる「価値を創造し、提供したい」という思いからです。

　私は、かつて東日本営業本部長をしていたころ、店頭販売部門を「旅行課」から「店頭営業課」に名称を変更し、責任者も「店頭営業課長」にしました。インターネット販売の普及に対し、店舗に足を運んでくださるお客様に旅のメリットや価値を提供できるような店舗運営を期待したからです。当社では店頭も営業です。

　かつて70年代から90年代まで、旅行は「旅行に行くこと」が目的でした。現代では旅行は「目的を達成するための手段」に変わりました。つまり旅行という「モノ（物）」を売るビジネスから「コト（事）」を売るビジネスに変化しつつあるのです。従来の旅行会社は「ハワイですか？　グアムですか？　いつですか？　人数は？」という販売スタイルでした。これでは利便性の高いネット販売の優位性にはかないません。何のために店舗があるのか、どういう店舗が必要で、そこに必要な人材をどう育成するのかを考え、お客様の旅の目的を達成するために、お客様の背中をしっかりと押してあげる提案が必要になっています。

ネット販売は流通を変革し、利用者が格段に伸びた当社でも重要な戦略です。仕事は商品の品揃え、システムの操作性など仕入・企画と連動した環境整備が中心になります。昨今は店舗来店者の7割以上が既にネットを見ているという環境ですから、それぞれの長所を生かした販売スタイルを作り上げることが重要です。

　法人営業は、いわゆる渉外セールスです。修学旅行、職場旅行、イベント運営など、従来から旅行を通してお客様が目的を達成するための「コト」を提案してきました。最近は、国際会議や株主総会の運営、観光地PRなど、その事業領域を広げています。当社は人々の誘致・誘客・斡旋、つまり人流に関わる多様な業務を長年手がけ、そのノウハウは他が真似できない絶対的な優位性を持っています。たとえば、観光PR事業は観光資源開発・商品企画・宣伝・旅客誘致まで丸ごと引き受けます。その背景に、当社は地震・戦争・感染症などの影響をこれまで直接受けてきたことがあり、私たちは自らの持つ経験と知識をフルに活かして、新しいビジネスやマーケットを創出する企業体質に進化させてきました。

「営業・販売」において大切なこと

　私たちの仕事で大切なことは、お客様を楽しくさせる場面をつくる、時間をつくる、空間をつくることです。この仕事に向いているのは、人と接することが好きで、人を喜ばすことに喜びを感じることができる人です。お客様に喜んでほしい、感動してほしいという気持ちがあるからこそ価値ある提案ができるのだと思います。私自身当社で働いて良かったことは、いろんな場所に行き、多くの人々と接することで、常に感性が磨かれていることです。

　もう一つ営業・販売活動に大切なことは、仕組みを整備して、マーケットを創出しようと常に意識することです。新しい「コト（事）」を始める時、無理だからと簡単に手を引かないこと。旅行業では、商品ができるまで、または商品をつくるための手段が一般の方には見えにくく、見えたとしても「既にあるものを集め、並べて商品化している」だけに見えます。しかし当社の目指すところは別にあります。

昔の話ですが、東北三大祭りは日程がほとんど同じで、周遊観光ができるようになったのは、当社の先輩や国鉄（現JR）の皆さんが地元に日程が重ならないよう働きかけたからだそうです。今やクルーズ客船も寄港する夏の一大マーケットです。また校外学習の農家民泊も、当初は規制が多く、私たちが協力していただける自治体を探し、保険会社に専用の保険をつくってもらい、中高生への新しい体験学習として提案したものです。今ではグリーンツーリズムに進化し多くの人々が体験しています。営業活動には、お客様のニーズに応えるだけでなく、2歩3歩先に進んで新しいことを「開墾」する力が必要だと思います。

高校生・大学生に向けてアドバイス

　2008年に観光庁が設置され、現在観光立国に向け国を挙げて取り組んでいます。交通インフラや立派な施設があっても、魅力ある街並があり、人々が交流しなければ街は衰退してしまいます。今後、日本の人口は減少しますが、世界の旅行人口は2010年の10億人から20年までに15億人に拡大します。グローバルな視点では商機と言えます。私たちは、ホスピタリティやこれまでになかった体験などを通じて、機能の価値を表現したメニューをたくさん揃え、そして国内外での営業活動を強力に行っていこうと考えています。当社の事業に関心を持ちチャレンジしたい皆さん、**まずはぜひ、国内でも海外でも外（旅）に出て、多くの人たちと交流してください。そして、まずは自分の街や国というものを外の目で見つめてください。感性を磨き、感動や気づきのできる力をつけ、感動を伝える努力をしてください。**営業活動の一歩が、そこから始まります。

145

営業 | ESSAY | 特別寄稿

株式会社エイチ・アイ・エス　澤田秀雄

1951年大阪府出身。1980年にエイチ・アイ・エスを設立。格安航空券販売を中心にパッケージ旅行を手がけ、急成長を遂げる。その後、ホテル業、航空業、金融業にも挑戦。現在エイチ・アイ・エスは国内275店舗、海外76都市100拠点のネットワークを誇る。

「営業・販売」の仕事とは

営業とは企業の中でもっとも大切な仕事です。大変で辛いときもあるけれど、楽しい仕事であると思います。業種によって少し違いますが、モノの販売では、正直にわかりやすく、お客様に商品のサービスや性能、使い方を説明して買っていただく仕事です。また、旅行業では、お客様に旅行内容（たとえばホテルのクオリティーやフライト、日程内容、そして、旅行のセールスポイントなど）の説明をわかりやすくして、旅行というサービスを買っていただく仕事です。そして、銀行、証券、保険などの金融ビジネスでは、個人はもちろん、「会社対会社」の営業があります。営業マンはお取り引きする会社の利益になることや、その会社の必要とする情報やシステムの提供をするのもひとつの仕事であると思います。

その他、いろいろな営業・販売があると思いますが、**どの業種においても常にお客様の要望をお伺いすること、また、お客様により良く知っていただいて、そのお客様の生活の手助け、もしくは楽しみを提供するということ**が営業・販売の仕事であると思います。

「営業・販売」において、もっとも大切なことは何か

一番大切なことは、誠実で正直な「気持ち」です。

たとえば、車とか機械の営業・販売であれば、その性能を正直に良いところも悪いところも説明することです。旅行業であれば、ホテルがエコノミークラスなのかデラックスクラスなのかや、立地は便利かどうかということをきちっとお客様に説明し、そのお客様が望んでいるのは何なのかを汲み取ることも重要なポイントです。心のこもった気持ちの良いサービスを提供し、お客様が商品もしくはサービスを使って喜んでいただけることが大切です。

また、個人や会社に営業するときには1回断られても諦めずに2回、3回とトライし続けることも大切です。常に商品について勉強することはもちろんですが、時代に合った情報をキャッチし、営業に役立てていくことも重要だと思います。

「営業・販売」に興味がある高校・大学生に向けてのアドバイス

営業・販売は世の中をより良く便利に楽しくするための「潤滑油」です。どんなに良い商品や機械ができても、それが世の中にあることが知られていなければ、せっかくの良い商品もサービスも

お客様は受けることができないのです。「営業・販売」とは企業の中でもっとも大切な仕事であり、「営業・販売」がなければ、ほとんどの企業は立ちゆかなくなります。良い営業、良い販売は、その個人にも企業にも多くの良い利益をもたらしてくれます。

　常にいろいろなものに好奇心を持ち、新しいことにチャレンジする精神を忘れないでほしいと思います。また、より広く、より深く、より大きい営業ができるように**「常に明るく元気に楽しく、ちょっぴり厳しめに」**仕事をしていくと、どんどん良くなっていくと思います。

営業｜ESSAY｜特別寄稿

株式会社ヤマダ電機　山田昇

1943年宮崎県出身。1973年、前橋市でヤマダ電化センターを個人創業。1983年、株式会社ヤマダ電機設立。2006年、都市型大型店舗LABIの第1号店を大阪府・難波に新設。2008年、本社を前橋市から高崎市へ移転。

営業・販売について

「町の電気屋さん」それがヤマダ電機のスタートです。1973年私が30歳の時に「ヤマダ電化センター」として創業、小さな店舗付きの借家と1台の軽トラックで夫婦二人からの出発でした。電気店といっても、今とは違い当時は店頭での販売ではなく訪問販売が主流でした。技術者からの脱サラでしたので、営業は下手な人間で、セールストークも上手いタイプではなく、挨拶の仕方やモノの売り方も知りませんでした。そこで私は、得意な技術を活かして「カラーテレビ購入後の定期清掃サービス」を行い、お客様の所に何回も訪問して、きちんと清掃し修理するというアフターサービスを誠心誠意、確実に行いました。約束事はしっかり守るとか、誠実に対応するとか、小さなことを大切に積み重ねることがお客様に受け入れていただく第一歩であり、それが「信頼」となってしだいに紹介のお客様も増え、店の売上も順調に伸びていきました。

創業当時のこの経験は現在のヤマダ電機の原点・財産として経営姿勢にそのままつながり、「感謝と信頼」というヤマダ電機の経営理念の根幹になっています。現在のような量販店スタイルになっても、ベースとなっているのはこの時の体験であり実感です。そして真心をもって歩きに歩いてつくったお客様への感謝です。**営業・販売といっても、お客様に、ただ商品だけを買っていただいているのではなく、商品とともに、お店や社員に対する「信頼」と「安心」も一緒に買っていただいている**のだと私は思います。

営業・販売で大切なこと

よく、営業販売・経営において大切なこととして「お客様第一」と言われますが、私は違います。私は「マーケット第一」と言っています。**お客様のニーズに応えることはとても大切なことですが、そういったお客様の声の一つひとつが大きなマーケットを作り出し、時代の変化とともに、求められるものが大きく変わっていきます。**ヤマダ電機が量販店として、「価格」と「品揃え」のサービスをいち早く展開し始めたのも「マーケット第一の経営」というポリシーに基づいたからなのです。
また、この家電業界は特に変化が激しい業界です。ビデオ、パソコン、インターネットの普及をはじめ、CD、DVD、携帯電話、地上デジタルテレビなど、今までにないまったく新しい商品が次々に開発・販売され、お客様の生活スタイルも大きく変化していきます。その中でヤマダ電機は市場の変化をどこよりも早くキャッチするための高いアンテナと質の高い感性をもって努力し、新しい商

品・ビジネスの成長をリードするために挑戦し続けてきました。

　これまでのヤマダ電機を振り返ってみると、「まったく新しい会社が誕生した」というほどの変化を何度か経験してきました。時代の変化を捉え、お客様に信頼され、喜んでいただくためにどうすればいいか、毎日一歩一歩必死の努力を続けているうちに、成長してきたのかも知れません。小売業は変化対応業とも言われるように、その変化に素早く確実に対応し、進化できる企業が生き残り、成長していけるのではないかと思います。

高校生・大学生へのアドバイス

「創造と挑戦」が私の座右の銘です。仕事に取り組む姿勢として、「創造と挑戦」が一番大事だと常に思っています。ヤマダ電機が発展した理由をあえて一言で言えば、「挑戦」です。企業も仕事も、やる気をもってやらないと成果も得られないし、続きません。また、「挑戦」の意志がなければ成功や発展はありません。いいと思うことはやろう。**まず行動しよう。もし失敗したらやり直せばいい。失敗を反省して次はもっと創意工夫する。そして再びトライする。この繰り返しが大切です。**

　何も考えずにただ挑戦するというような、〝風車に挑むドン・キホーテ〟ではなく、常に創造性をもって〝何のために〟〝何を目指すのか〟を明確にして挑戦していくことが大切であると思います。それは、企業においても、個人においても共通します。創造性のある挑戦の中にこそ、確かな価値が生まれ、次につながる未来への可能性もあるのだと思うからです。「創造と挑戦」と合わせて非常に大切なものが「感謝と信頼」、そして、企業活動を通じ価値を高め社会に貢献することです。「感謝」は周囲に対するもので、これは、会社の内外にかかわらず、すべての人を対象とします。そして「信頼」は周囲の方からの信頼です。感謝という気持ちがあってこそ信頼されるようになるのだと思います。

　ヤマダ電機では、お客様や株主様に感謝し、お取引先やパートナーの皆様に感謝し、社員に感謝していく中で、「創造と挑戦」をしていくこと、社員総意で取り組み、企業価値を高めることで社会に広く貢献していくことを「経営理念」として実行しております。すべての人に「感謝」の気持ちをもって接することで、「信頼」が深まり、創造性のある「挑戦」を通して自身の価値が高められていくのだと思います。

営業 | ESSAY | 特別寄稿

株式会社ダスキン　伊東英幸

1943年北海道出身。北海道立美唄東高校卒業後、1968年、株式会社ダスキン入社。主力事業（清掃用品の訪問販売レンタル事業）の営業を担当し、お客様の声に耳を傾けることの大切さを経験する。2001年からモップ・マットなどの生産や商品開発、営業部門の責任者を担当し、2002年に社長、そして2009年、会長に就任。

営業と販売とは

　ダスキンと言えば掃除用具をレンタルしている会社と思っている人が多いでしょう。たしかにモップやマットのレンタルから会社は始まりましたが、いまでは「ミスタードーナツ」をはじめ、住宅やオフィスの掃除、高齢者向け事業、そしてベビー用品やイベント設備のレンタルなど、多くの事業を展開しています。

　ダスキンの営業には二つの販売方法があります。一つは「訪問販売」。お客様が店に来るのではなく、販売員がお客様の家やオフィスを訪問し商品やサービスの提供をします。モップやマットの販売（レンタル）や代行掃除サービスなどが訪問販売にあたります。訪問販売ではスーパーなどのようにすべての商品を手にとって見ることができませんので、販売員には商品やサービスについて正確で豊富な知識が求められます。「ちょうどこの商品がほしかった」とお客様が思っている時はすぐに購入していただけることもありますが、ふつうはサンプルを見ていただいたり、パンフレットなどでサービス内容を説明した上で、納得いただければ商品・サービスを提供することになります。ここで重要なことは、「知らなかったけれど、この商品、わが家やオフィスに必要だ」とお客様に気づいていただくことです。**商品を売るために一方的に説明するのではなく、お客様の立場に立ってお客様が何を求めているのかを敏感にキャッチすることがとても大切です。**二つ目はお客様が来店し商品を購入する「店舗販売」。ダスキンでは、ミスタードーナツやベビー用品や旅行用品の貸出しをするレンタル店などがそれにあたります。お客様は商品やサービス、値段、店の雰囲気などを期待して来るのですから、常にその期待に応えられるように考えて行動することが大切です。

営業と販売で大切なことは

「訪問販売」にしても「店舗販売」にしても、大切なことは**常にお客様の視点で考え、行動すること**。欲しくないものや必要としていない商品を強く勧めても、お客様は不愉快に感じるだけです。また、お客様に商品やサービスを購入いただいた時点で営業・販売は終わりではありません。「買ってよかった」と思ってもらうために、使いこなしていただくための情報などをお知らせして、お客様から信頼されることが重要です。信頼があってこそ「買ってよかった」と満足してもらえるのであって、商品の品質はもちろんですが、販売員の質（人柄）も商品と同じぐらい大切です。このことは1回だけの購入からリピートにつながります。

「訪問販売」では、お客様との日常的なコミュニケーションがとても大切で、それがあって商品やサービスの購入や利用として実を結ぶのです。台所用洗剤を使っていただいているお客様が、どのくらいの期間で1本の洗剤を使いきるのかを知って、その前に定期的に訪ねて補充するようにしておかなければ、お客様に不便をかけることになります。また、お客様は洗剤のような日用品は、なくなれば近くのスーパーで買ってしまいます。そんな時、販売員とお客様が友だちのように親しければ、すぐに電話で「持ってきて」と言ってくださるのです。

「店舗販売」では、たとえばミスタードーナツに入られるとき、心の中でここではあれくらいおいしいドーナツやサービスが楽しめると思って来られるのですから、その期待を裏切ってはなりません。そのために、お客様がコーヒーを気軽におかわりができるよう、ころあいを見はからって「おかわりはいかがですか」と伺うようにしています。何杯でもおかわりができる商品の提供とともに、ゆっくり寛いでいただくための場所と時間の提供は販売員の心配りにかかっていると言えます。**営業・販売は単に商品の提供だけではなく、ダスキンはお客様と販売員の「人と人」との心のつながりを大切にしています。**

高校生・大学生にアドバイス

わたしたちは商品・サービスを提供し、その対価として金銭をいただきますが、**大切なことはお客様がその商品を通して困っていることが解消できたり、どんな喜びや楽しみを得ようとしているのか、お客様の立場になって考え、対話し提案すること**です。営業は1回で終わるのではなく、継続していくことが大切です。ダスキンでは4週間に1回お客様のところへ訪問し、それが30年、40年とずっと続けてくださっているお客様が数多くいらっしゃいます。生涯を通してお客様であっていただくことは難しいことかも知れませんが、そのことが可能になるのは、商品以上に営業する人をお客様が選んでくださった時です。**ものだけで取引が成立するのではなく、心が伴って生涯のお客様になっていただけることがダスキンの営業・販売の基本的な考えです。**

営業｜ESSAY｜特別寄稿

株式会社AOKI横浜港北総本店　町田豊隆（まちだ とよたか）

1950年、長野県生まれ。大東文化大学経営学部卒。1972年、㈱AOKIホールディングス入社。以来紳士服販売の営業一筋。年間2億円を販売し、430店以上ある全国の「AOKI」の中で、個人販売高首位を30年間維持。

営業・販売とはどのような仕事か

　営業・販売とは、一般的に「ものやサービスを適正価格で販売し、適正な利益を得る」仕事と言われています。**しかしその原点は、人と人とのつながりであり、私にとっては、お客様のお役に立ち、喜んでいただき、その結果としてお客様から大切なお金をいただいていることに他なりません。**

　私は、「生涯現役」をモットーに、37年間紳士服の売場に立ち、接客し、販売し続けています。なぜならば、売場で接客することが楽しく、やりがいを肌で実感できるからです。直にお客様と触れあい、親身になって応対することで、お客様の笑顔やお声が直接、私の目や耳に届く。これほど、達成感を感じる仕事はありません。

　私はお客様とたくさん会話することでお客様を知り、立場に合ったご提案をすることを心がけています。お客様に合う商品やサービスをご提案し、その価値を何倍にも感じてお喜びいただくことこそ、私達販売員、接客業の使命だと思っています。

　しかし、「これでいい。これで100点満点だ！」という接客はありません。「毎日が勝負で、毎日が新鮮」の連続です。「今日はどんな方がいらっしゃるのかな」「どんな課題を発見できるかな」この毎日のドキドキ・ワクワク感がたまらなく良いのです。

　一方、営業である以上、売上目標の達成も責務です。地道な努力を継続し、お客様から適正な対価をいただくことが、会社を牽引し、成長に貢献します。またそれが、励みとなっていくのです。

　感謝をもって目の前のお客様に全力を尽くし、現状に満足せず常に上を目指す。何

より、自分がお客様との時間を楽しみ、お客様にも「また来たい」と思っていただく仕事。一度ご来店くださった方が、AOKIを、町田を指名して何度もお越し下さる。そのうれしさこそ、営業・販売の醍醐味です。そして、そんな仕事だからこそ、毎朝ダッシュで出勤したくなるほど、私の生きがい、人生そのものです。

営業・販売において、もっとも大切なことは何か

私が長年紳士服販売という分野で経験してきた中で、営業・販売において、もっとも大切なことは何かと言うと、**「お客様のお役に立つ」「お客様から信頼される」「お客様から感謝される」**ことです。

そのために私がやってきたこと。まず、笑顔を絶やさず、ともかく明るく、ともかく元気に！　そんな理由で私は常にベストな体調を維持しポジティブにいられるように努めています。そしてこれが、営業・販売一筋で生きるプロの営業マンの鉄則だと思います。もちろん、お客様に自信を持ってお勧めし、安心してお召しいただけるように、商品知識やファッショントレンドも常に勉強しています。

紳士服販売でたとえるならば、「お客様のお役に立つ」「お客様に感謝される」とは、「似合うものが買えてうれしい」「着てみてうれしい」「他人に誉められてうれしい」とお客様に喜んでいただくことです。以前、社運をかけたプレゼンテーションをするので、スーツを選んで欲しいというお客様が来店されました。私はその時、お仕事の内容について詳しく伺い、スーツやワイシャツを選び、それに合う「情熱やパワー」の色、赤が入ったネクタイもお勧めしました。お客様もファイトを全面に出したイメージを気にいってくださり、ご購入いただきました。後日、お客様から、「町田さん！選んでもらったスーツのおかげで、大成功でしたよ！　ありがとう」というお電話をいただき、自分のことのようにうれしかったのを今でも覚えています。

そして「お客様から信頼される」とは、お客様と、とことんおつき合いすることです。「会議に向けてお勧めしたスーツは大丈夫だったかな？」「最近、お顔が見えないけれど、お元気かな？」と気になると、お手紙をお出ししたり、お電話をしたり。そういったやりとりが積み重なって、今では、お客様が近況報告や日常会話をしに、わざわざ店に足を運んでくださいます。そんな積み重ねが信頼関係だと思います。

私流に言うならば**「千客万来より、一客再来」**。一人一人のお客様を大切に、またご来店いただけるように最善を尽くすことでしょうか。

営業・販売に興味のある高校・大学生にアドバイス

　営業・販売の原点、心構え、基本動作などは、普遍的なもので、職種や企業が違っても、その技能は活かされます。

　たとえば、元気な挨拶や心からの笑顔は、周囲を明るくします。人のためを思ってとる行動は、周囲を優しい気持ちにします。正しい基本動作やマナーは、周囲にすがすがしさをもたらします。世の中がIT化、機械化しても、人と人のコミュニケーションは決してなくなりませんし、営業・販売で培う、その能力は潰えることはありません。

　私と、営業・販売業との出会いは、大学生のころでした。

　私は、中学生時代から新聞配達、家のタバコ屋を手伝い、大学時代には、デパートのヤングファッション売場で4年間販売のアルバイトをしました。その経験を通して、働くことの大変さ、大切さとともに、喜びを知りました。そして、ファッションを通してお客様に喜んでいただく、というやりがいを知った時、私の生涯の仕事だと直感しました。

　この仕事は、お客様の反応からその場で結果がわかり、一日やりきることで充実した達成感が得られます。それでも満足せず、反省、改善をし、またやってみて、結果を見ることを繰り返し、継続していく。こうすることで、一歩一歩、確実にスキルアップができ、その都度新しい展望が開けていきます。そしてそれが「生きがい、やりがい」につながっていくのです。**努力、継続の重要さを知っている人は、営業マンとしての成長も無限大です。**

　結果が悪ければ、その原因を見つけ、改善する機会ができます。結果が良ければ、自信をつけながら、さらに上を目指すことができます。結果を恐れずに、まずやってみましょう。

　人と関わるのが好きな方、誰かの役に立つことに喜びを感じる方には、心底やりがいのある仕事です。自分が楽しいと思えることの中に接客業があるならば、ぜひ、営業・販売という仕事に出会っていただきたいです。

155

営業｜ESSAY｜特別寄稿

野村ホールディングス株式会社　渡部賢一

1952年兵庫県出身。2008年4月より執行役社長兼CEO。野村グループは1925年12月創業。持株会社である野村ホールディングスと野村證券、野村アセットマネジメントなど国内外の子会社で構成される金融サービスグループ。2008年9月に米大手投資銀行リーマン・ブラザーズを吸収し、海外部門を強化。「顧客とともに栄える」を経営理念とし、「それ、野村にきいてみよう。」というキャッチフレーズを掲げて、現在、70ヶ国以上の国籍を持つ、約26,000名の社員が30ヶ国にて活躍している。

「営業・販売」というのはどのような仕事か

「営業・販売」とは、「お客様の相談に預かり、お客様の望む商品・サービスを提供して、お客様に喜んでいただく」ことだと思います。その対価としてお金を頂戴する、この行為が基本です。これはなかなか難しいことです。なぜなら、お客様はいつでも自分の欲しいものが「何か」と明確にわかっているとは限りません。そうしたお客様に「自分の欲しいものはこれだったんだ」と気づいていただけるようにすることも時には必要です。そのために、お客様のお話を伺うことから始める。お客様の良きご相談相手となるわけです。そうすることでお客様のお考えを理解し、その結果ご要望に沿った商品があればご購入いただく。時にはお客様が望むものを提供できない場合もあります。その時は、商品をつくる人達にお客様の考えていることを正しく伝えてあげて、お客様の求める商品・サービスを創り出し、提供できるようにすることも重要な仕事の一つです。弊社のキャッチフレーズとして「それ、野村にきいてみよう。」という言葉がありますが、それは、「野村の社員はお客様の身近な相談相手でありたい」ということを表現しています。つまり、この仕事をする**「営業・販売」に携わる人は、会社の中で一番、お客様の心を知っている人**ということになります。そして会社の利益の大部分はこの「営業・販売」の仕事から得られる利益です。お客様のお話を聞き、必要としているものを提供し、お客様のお役に立てた分が会社の利益となり、社員のお給料となって表れます。このように「営業・販売」という仕事は会社にとって大切な役割を担います。

「営業・販売」において、もっとも大切なことは何か

　ここで注意しておかなければならないことがあります。先ほど、会社の利益に「営業・販売」は大切な仕事だとお話ししましたが、**自己の利益、会社の利益だけを追求するのは間違いです。お客様が豊かになることを目標に仕事することで、結果として会社も社員も豊かになっていくことが必要です**。私は会社経営だけでなく「営業・販売」の原点もこの「お客様主義」が大切だと思っています。**お客様が何を必要としているか、お客様と正面から向き合うのではなく、お客様の横に座って一緒に考える**。つまり、同じ目線で考えるということ、そのニーズに対して商品・サービスを提供し、ともにお客様の目的を達成すること、これに勝る喜びはありません。そのためには普

段からお客様と会話し信頼関係を築くと同時に、提供する「商品・サービス」を充分理解し、自信を持って提案することが重要です。つまり、信頼される人間性と仕事に対するプロ意識が求められます。「この人は私のことをよくわかっている」と、そう思っていただけたら「営業・販売」のプロフェッショナルであるといえるでしょう。

「営業・販売」に興味がある高校・大学生に向けて、何かアドバイスを

　申し上げたとおり、**「営業・販売」はその人の人間性が試される場**であり、簡単なものではありません。お客様との親密な関係をつくるには、相手の考えを理解し行動する能力が問われます。これは熱意・誠意・プロ意識など、仕事に対する向上心をもって業務に取り組む日々の姿勢が、お客様との共感に繋がり、信頼関係へと発展していくものと思います。このように申し上げますと「厳しい仕事だ」と思われるかもしれませんが、たとえて言うなら、長距離マラソンと理解してください。日々の練習を積み重ね、それはつらいこともあるでしょう、工夫もしなくてはいけないでしょう。しかし、その努力が「お取引」に繋がったとき、すなわち「ゴール」したときの喜びは忘れられません。なぜなら、**「営業・販売」は個人の能力に因るところが多いからです。正々堂々としたお客様とのコミュニケーションが、「君と取引しよう」という感動に繋がります。「営業・販売」に近道はありません。**

営業｜ESSAY｜特別寄稿

加賀電子株式会社　塚本勲(つかもといさお)

1943年、石川県出身。金沢市立工業高校を1年で中退し、単身上京。電子部品メーカーで製造業務に携わった後、営業マンとして活躍する。潤沢な人脈、商品知識など無形の財産を築き、1968年に電子部品商社、加賀電子株式会社を設立。「すべてはお客様のために」を経営理念とし、電子部品の販売から電子機器受託製造サービスまで幅広く事業を展開。1997年、東証一部上場。2007年4月より代表取締役会長、現在に至る。

営業という仕事

　加賀電子は、半導体を中心とした電子部品の商社です。テレビとかデジタルカメラとか携帯電話の中身を担当していて、RICOHさん、SONYさん、東芝さん、日立さん、パナソニックさんなど、競合している会社みなさんとおつきあいをさせていただいていますが、黒子に徹することが大事だと考えています。

　僕が営業マンになった動機は、免許を取って車に乗れるというのも理由の一つなのですが、どちらかというと現場の仕事よりも営業をやってみたいという気持ちがあったからです。社会人になって最初の2年間は現場で組み立ての工員として働きました。そして18歳になって免許を取ったときにタイミング良く営業にまわされたのです。もちろん車にも乗りたかった。だから金沢の実家に戻るのをやめて、東京に残ることにしました。時間に制約されない営業の仕事が自分に合っていると感じていました。

　最初のうちは、自分のところの商品を工場で作ってもらって、販売するだけの単品商売でした。でも毎日お客さんの所に通っていると、いろいろな部品が並んでいて、それに興味を持ち始めました。探究心・好奇心が旺盛だったと言えるでしょう。お客さんが作っている商品は多岐にわたりますよね。**ステレオ、テレビ、ラジオ、携帯電話など。中身がどんな部品で組み立てられているのだろうということに興味を持つことは、結果として営業成績に結びつきます。**

　僕は金沢工業高校の電気科を1年で自主退学しました。そこで学んで役に立った知識はほとんどないです。学校ではなく世の中に出てから、商品について学び始めました。この部品はどこが作ったのですか？　なんていう商品名で、いくらくらいのものですか？　と、とにかく聞きました。聞かなきゃわからないまんまです。**聞くことを恥と思わないように心がけることが大事です。それが商品知識に繋がり、競合先の情報に繋がりというふうに広がっていきます。**営業マンとして知識や話題が豊富な方が新しいビジネスチャンスに結びつけやすいです。僕が始めたころは24歳で若かったですから、そして学歴もなかったですから、聞くことに対して恥だという気持ちがあまりなかった。率直にお伺いするとわりあい、人って教えてくれるものです。教えてもらいやすい性格もあったのかも知れません。でも売り込みにお邪魔して、情報をご提供いただく方には、コーラを買っ

て持っていったり、アイスクリームを買って持っていったりしました。お客さんとのコミュニケーションを図りやすくして、情報が入りやすい環境をつくるために心を配りました。エンジニア、技術の方、資材の方も含めて、質問したことに対して本当によく教えていただきました。

探求心旺盛な営業マン

「営業は機関車だ」と僕はよく言います。販売できて、ご注文いただいて、初めて後続組、たとえば総務、経理、管理部隊がサポートして会社が運営できるわけです。営業もサポートする部署も会社の大事な両輪なんですけど、何が重要かっていったら売ってなんぼの世界ですから。**お買い上げいただいてなんぼの世界ですから、やっぱり営業が主体で動きやすい環境をつくらなければいけないというのが会社運営の基本にあります**。いくらいいアイデア・技術があっても、売れなきゃビジネスにはならないわけですから、それを徹底していますね。創業者である僕がそういう考え方でやってきたので、今ある同業他社の中でも、やはり**探究心旺盛な営業マンが加賀電子には多い**ということが言えると思います。

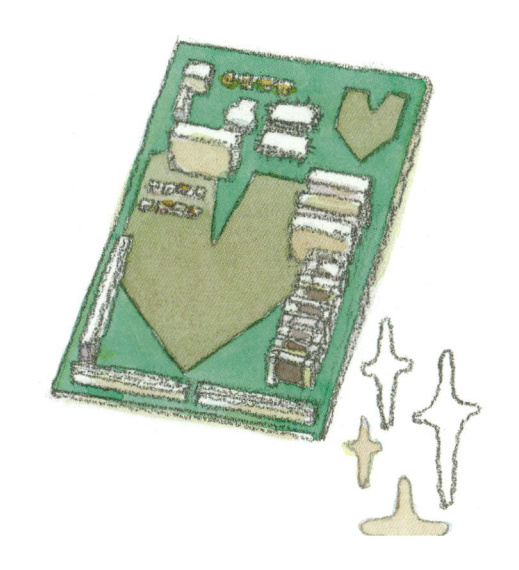

営業向きの人材とは

営業は、お客様のご要望を満たす、お客様のかゆいところにも手が届くようにする、それから新しい情報も提供することが大事です。最初から商品知識があり、仕事ができる人は誰もいませんから、知らないことは素直にお伺いして自分の身につけていかなければいけません。

これは、半導体・電子部品だけじゃなく、鉄でも薬でも、どんな業界にも共通して言えると思います。**社会人になったら日々勉強です。自分の会社の商品だけではなく、競合他社の商品も知識として身につけておかないといけない**と思います。

われわれはエレクトロニクスという土壌があったら何でもやろうという発想です。そうすると、情報がたくさん集まっていた方がいいわけです。もともと電子部品の便利屋から始まった会社ですけれど、現在ではモノ作りもやってますし、別の商品を扱う別会社を運営したりもして、たくさんの事業をやるようになった。すべて営業マンが嗅ぎつけてくる情報をもとにしているんです。それは時代の変化とともにお客様のご要望がどんどん増えてきたということなんですね。創業当時から、とにかくお客様のご要望だったら何でもお役に立とうという意識でやってきましたから、守備範囲が広がってきた。お客様のためにわれわれがあるんだと思っています。そういう考え方があれば、頼まれたことがあればなんとかお役に立ちたいと思いますよね。頼まれた部品が、秋葉原、あるい

は日本になければ、世界中どこに行ってでも探し出してお役に立つというのを心がけているのです。われわれはコンビニエンスストア、動くデパートだという考え方です。動くご用聞き、とも言えるかな。最悪われわれでできなければ、知り合いをご紹介します。お役に立っていると仕事って自然にまわってくるものです。

　新入社員を採用する時は、意志疎通が円滑にできるかどうか。そして、5年後に営業所長が務まる人材であるかどうかまで考えて選考します。たとえば、学生時代に体育会や同好会などで、スポーツをおもにやってきた人たち。連帯感や連携感というのが営業では非常に重要になってきますし、**学生時代の仲間が多くて友だちがたくさんいる性格の方が、営業には向いていると思います。学力の程度はともかくとして朗らかな子がいいですね。**「無形の財産の形成」ということを僕はいつも言うのですが、それはお客様からかわいがられる、人に好かれる、嘘を言わない、人徳があることです。つまり「人気がある人」が最終的に営業成績をあげやすいのではないかと思います。

　加賀電子では、部下の失敗は上司が一緒に責任をとります。「失敗を糧にする」。それが本人を成長させるもとだという意識が経営者サイドにあれば、失敗は許せることですよね。それによって会社がなくなってしまうような大きな失敗は事前にチェックしますけど。小さな失敗の経験はたくさんすべきだと今でも思っています。

高校生・大学生に

　将来営業を目指す若者たちは、学生時代に培った人脈というものが必ず近い将来生きてくると思っていた方がいいと思います。僕の経験から言うと、業種の違う方々と30年くらいおつきあいしていますけど、映画関係、芸能プロダクション経営者など、時代の変化とともに世の中がデジタルに変わってきてITが採用されるようになってきて、全然業種が違う人がお客さんになり得る、実際なっているわけです。**小学校・中学校・高校・大学で、友だちがたくさんいた方が将来必ず自分のためになる**と思います。そうすれば、医療関係、法律関係、男女関係、さまざまな相談を受けたときに知り合いを紹介することもできます。世の中自分一人じゃないから、仕事で悩んだ時に業種が違えば相談もできるし、そういう相談ができる間柄の人をたくさん持っていたほうが営業マンとしては最高でしょう。

　営業は人気商売だと僕はいつも言っているんだけど、われわれは人気商売だから、歌手だったら美空ひばり、俳優だったら石原裕次郎でなきゃいかんよと。やっぱり人気のあるものが営業としては勝つ。**みんなから可愛がられる、遊びにも誘ってもらえる、一緒にいて楽しいと思ってもらえたり、盛り上げられるように心がけていたほうがいいよね。ポジティブに物事を考えられる人は最高。**友だちと喧嘩することもあるだろうけど、そういうのも一つの想い出となって、今度は深いおつきあいができることになるから。当時はカッカするでしょうけど、しばらくたつと必ずいい相談相手、友だち、遊び仲間になれるものです。

　容姿は関係ない。この顔でもできるんだから（笑）。清潔感も、後でお金をかければ着るものなんかでなんとかなる。最初から清潔感はあったほうがいいけれども、それが重要かっていったらそ

うじゃなくて、やはり性格が重要でしょうね。「人生一生勉強」っていうのは、学生時代の勉強だけじゃなくて、世の中に出てからもずっと勉強だということ。**業界の勉強、商品の知識、若い人たちは積極果敢にいろいろ勉強した方がいい**。それだけ話題が豊富になるわけですから。たくさんの人と知り合いになった方が、成績をあげやすい。お金を持ってるとか、いい家に生まれたとか、そういうことよりも価値があると思うのが、人脈と業界知識ですね。同好会の幹事をやるとか、体育会のマネージャーをやるとか、そういう経験は大事です。人をひっぱっていくには、まとめるにはどうしたらいいのかたくさん考えますから。ただひっぱられるだけではしょうがない。とにかく自分ですべてやってみる。いろいろな性格の人がいて、それぞれ違う意見があるのを、聞いてみる。その人に対してどういう言い方をしたら受け入れてもらえるか、ということを気にしながら常日ごろのおつきあいをしたらいいんじゃないかと思います。

それから、**嘘をついたり、義理を欠くようなことをしないように気をつけた方がいい**です。嘘をつけばいつかはばれます。本音でいつもみんなとおつきあいすることが大事。たとえば消費者金融からお金を借りて収入以上の買い物をしたり、賭け事にお金を使ったり、分不相応なことをしないこと。収入に見合った生活をしなきゃいけないのになぜか見栄を張ってしまう。それが虚栄。虚栄はある意味嘘に繋がるでしょ。間違った方向に行ってしまう人もいるけれども、営業マンとしてはだめです。

僕はいまだに絶えず変わっていかなきゃいけないと思うから、業種の違う方たちにお会いして、いつもお話を聞きます。自分があたかも成功したように、自分の体験談だけ聞かせるというのは、聞く方もつらいよね。人の意見を素直に聞いて、自分の意見も言ってみる。そうすると、ああ塚本さんそういうふうに考えてたのかなんて思ってくれる人もいるかも知れないけれど、強制しちゃだめ。それが、自分自身を大きくできるもとなのかなと思うんです。

会社でも、こっちからああやれ、こうやれと言うばっかりじゃ人は動かないです。だから部下や社員の意見を聞いて、会社そのものも変わっていかなきゃいけないですね。会社は絶えず変化をしながら発展していくものだから。世の中もそうやって大きく変わっていきますし。自分と同じようにやれとは言えませんね、時代が違いますから。でも参考になればいいと思います。

営業｜ESSAY｜特別寄稿

株式会社ジャパネットたかた　高田明

1948年長崎県出身。大阪経済大学卒業後、機械メーカーを経て、74年に父親が経営するカメラ店へ入社。86年に独立してカメラ店「たかた」を設立。99年に現社名に変更。90年のラジオショッピングを機に通信販売を開始し、現在に至る。

「営業・販売」というのはどのような仕事か

　われわれ人類の祖先は数百万年前に誕生し、その人類が他の動物と決定的に違っていたのは「モノ」を作り出し、「モノ」を使ったことではないかと言われています。もし、そのことがなければ、いまだに他の動物と変わらない原始的な生活を送っていたかも知れません。これまでに無数のモノが作り出され、世に送り出されました。それによって人々は豊かで、文化的な生活を送ることができるようになりましたが、時としてモノは人を不幸にしたり傷つけたりしたこともありました。

　今日、情報通信の飛躍的な進歩と発展によってグローバル化が進み、世界各地で作られたさまざまなモノが世界各地の人々によって使われるようになってきました。モノには作り手の熱い想いが込められています。一方、お客様には「一番いいものを……」「安心して使える安全なものを……」という願いがあります。

　わが社はテレビ、インターネット、チラシ、カタログなど各種メディアを使って販売を行っています。たくさんの商品の中から自信を持っておすすめできるものを厳選することはもちろん、お客様の安心、安全を確保することにも努めています。そして、実際にお客様が生活の中で使っているイメージを持っていただけるよう、わかりやすい商品説明を行い、ご理解と納得をしてお選びいただけることを目指しています。

　営業・販売という活動は、お客様の生活に「豊かさ」や「感動」を作り出すことによって人々を幸せにでき得る活動であるとともに、お客様の声を吸い上げ、生産の現場にフィードバックすることによって、さらにより良い商品の開発につなげるという、生産者とお客様をつなぎ「モノの流れ」を作り出す、非常に重要な仕事ではないかと思っています。

「営業・販売」においてもっとも大切なことは何か

　まず、**「変化に対応できる力をつけるため、いろいろなことに関心を持つこと」**ではないかと思います。ただ商品に関することだけでなく、日本やアジアそして世界のこと、科学や芸術、金融、経済、地球環境などなんでもです。それらはしばしば、モノの流れの大きな方向性やヒントを私たちに教えてくれることがあるように感じられます。現代はあらゆるものが目まぐるしいほどのスピードで進化し、変化を続けています。それによって、**お客様が求めているモノや価値観も刻々と変化をしますので、その変化に対応できる知識と能力をつけることが大切です。**

　次に、「お客様の側に立った視点を持ち続けているか？」と常に問い、日々の仕事を行うことも大切ではないでしょうか。買い物をする時、なぜこの商品を買いたいのか、どんなふうに使おうと思っているのか、予算はこれくらいなど、いろいろ考え、悩んだりして、自分の条件に一番当てはまるものをお求めになることと思います。まさにそのようなお客様の気持ちをいつも忘れず、達成したときも自分一人ではなく、多くの人の協力や支えがあることを認識する謙虚な姿勢が、営業・販売の原点だと思います。

「営業・販売」に興味がある高校・大学生に向けて、何かアドバイスを

　一般的に、営業や販売という言葉を聞くと「きつくて大変そう、自分には向いていないのでは」と思われる方もいらっしゃるかも知れません。でも、私は営業や販売の仕事ほど面白く、やりがいのあるものはないのではないかと思っています。大切なことはその仕事が持つ使命や重要性を忘れないことではないでしょうか。世にまだ知られていない素晴らしい商品に出会えた時の喜びや興奮をお客様に伝え、使って感動していただき、その感動を自分や周りも共有できるのが営業・販売の仕事です。社会との確かな関わりや、次に向けて成長していくことができる素晴らしい役割ではないかと思います。

　現在、世の中は地球環境の悪化や百年に一度という厳しい社会状況に直面しています。しかしそういう時こそ、今自分たちにできることを考えて実行していくことが大切ではないかと思います。たとえば、ブラウン管テレビから消費電力の低い薄型テレビに代わる家庭が増えると、地球全体で見たときにはとても大きな環境負荷の軽減につながります。一台のカメラ、一本のカラオケマイクが時として人の生活や人生を変えるほどの力を持つことがあります。当社では、そのようなメッセージを発信し、少しでも「明るさ、楽しさ、元気さ」を感じていただけるようなメディアを制作していくことが、現在の状況を家庭から地域・社会へと変えていくきっかけにもなっていくのではないかと思っています。

　はじめから思い描いたとおりの結果をおさめることはできないかも知れません。しかし**皆さんは「若さ」というなにものにも代えがたい宝を持っており、何度でもチャレンジできる時間があります。**自分の可能性を信じ、失敗を恐れず、いろいろなことにチャレンジしてください。

営業｜ESSAY｜特別寄稿

日本マクドナルドホールディングス株式会社　原田泳幸
（はらだえいこう）

1948年長崎県出身。できたてのハンバーガーをはじめ、総合的な価値のある食事体験を提供している世界最大のハンバーガーレストランチェーン。日本では1971年に銀座に第1号店をオープンし、現在では日本全国で店舗展開を行っている。1948年、長崎県生まれ。大学卒業後、日本NCRに入社。その後エンジニアの道を歩み、1997年にアップルコンピュータ代表取締役社長に。2004年より異業界である日本マクドナルドへ。

「営業・販売」というのはどのような仕事か

　営業・販売という職種がない企業・ビジネスはありません。企業活動は、新しいお客様を開拓し、顧客満足度を上げ、それを維持することです。さらに言えば、ロイヤルカスタマー（いわゆる常連のお客様）を増やし、どのように維持するのかということです。これはすべての会社に共通する、普遍的な企業活動の"目的"です。

　したがって、会社内のすべての職種がこの目的に通じる活動をすることになります。商品開発、マーケティング、人事、そしてサービスといった会社の中のすべての組織は、その"目的"に繋がる活動を行っています。その中で営業・販売部門は、お客様との直接の接点、つまり第一線に立ちます。そのため次の四つの視点を念頭に置かなければなりません。

　（1）**会社を代表し、会社の顔としてお客様と接しコミュニケーションを図り**ます。つまり、会社の信頼、ブランド、お客様の満足度などあらゆる面で、現場の第一線である営業・販売部門の顔が大きく反映されます。

　（2）**さまざまな視点でものを考える能力が要求されます。会社の戦略、商品知識、競合の情報、市場の動向、経済環境、そしてお客様のニーズなど**です。このようなさまざまな視点でものごとを考える能力と知識がなければ、営業・販売はできません。

　（3）会社には営業・販売の後方部隊として、さまざまな部門の社員が控えています。企業活動を遂行するためにこれらとの連繋が欠かせず、その際には強烈なリーダーシップが要求されます。言い換えれば、**営業・販売は企業活動のリーダー的職務**であると言えます。自動車の営業にしても、証券会社の営業にしても、会社の後方部門などを束ねるリーダーシップが必要です。

　（4）営業の能力には三つの柱があります。もっとも営業成績に貢献する順番でいいますと、①**やる気**、②**営業のスキル**、③**商品知識**の三つです。自動車が好きだから自動車を売る、コンピュータが好きだからコンピュータを売る、確かにそれも重要なファクターではありますが、それだけで成功するわけではありません。ややもすると、商品を売るのではなく"知識を売る"営業マンになってしまい、肝心要の売上が一向に上がらない、といった事例も多々見受けられます。

「営業・販売」において、もっとも大切なことは何か

営業・販売においてもっとも大切なことは、二つあります。

まず、**一つ目は「お客様を知ること」**です。最初からカタログを広げていきなり商品説明を始めるというやり方は、最初の一歩としては正しくありません。事前の準備が非常に大切です。お客様のプロフィール、予算、ニーズ、目的、どこの会社の商品と比較しているかといった競合情報、そして、本当に求めているものは何かなど、事前にお客様をもっと知り、充分な準備の上でアプローチします。そうすることで営業の成功率が極めて高くなり、大きな実績を伴います。充分な準備なく一方的に商品の説明をしたり、商品の良いところだけを売り込んだりするようでは、逆に営業効率は著しく低下してしまいます。こういった〝お客様を知る〟という活動を英語では、〝Customer Qualification〟（お客様ニーズの探求⇒顧客満足度向上）といいます。

二つ目は、「営業はサイエンス（科学的、論理的な思考力）とサイコロジー（精神面、情緒面などのコントロール能力）の両方を身につける」ということです。

営業・販売という職種は、〝サイエンス〟が大きく影響します。限られた時間で最大の売上を獲得し、さらに毎年その営業生産性を上げていくことが重要で、そのためにはサイエンスの思考が大切になります。むだな営業を省き、時間の使い方を向上させ効率を上げていく必要があります。そこには厳格な自己管理能力が大切な要素になってきます。一方、お客様の要望は必ずしもサイエンスばかりで解決できるわけではありません。ですから、サイコロジーも同時に身につけることが重要なのです。

「営業・販売」に興味がある高校・大学生に向けて、何かアドバイスを

「社会人として必要な勉強」について考えてみましょう。

「勉強」には大きく分けて、「知識を習得し記憶する」という勉強から「ものごとを探求し発見する」というレベルの「勉強」まであります。

営業・販売の職種は、お客様を知り、サイエンスとサイコロジーを駆使して、最高の営業生産性で最大の売上を目指すわけですから、さまざまな視点・角度からものごとを見つめる能力が必要になってきます。この能力を育成するためには、知識詰め込み型の勉強だけではなく、「自発的に思考・探求し、発見する」という経験も積み重ねることが非常に大切になってきます。したがって、**知識・学力の向上は勿論ですが、そればかりではなく、学生時代にさまざまなことにチャレンジして一つの発見をする、あるいは未知の世界を経験する、また今までにない大きな達成感を経験する、こういった経験が将来の営業・販売のための基礎能力に繋がっていくのだと確信しています。**

営業 | ESSAY | 特別寄稿

大和ハウス工業株式会社　樋口武男

1938年兵庫県出身。主な公職は、住宅生産団体連合会会長、大阪商工会議所副会頭。大和ハウス工業株式会社は1955年創業。住宅・一般建築物の建設の他、ホテル、ホームセンター、環境エネルギー事業など多角的に展開。著書に「熱湯経営－『大組織病』に勝つ」がある。

「営業・販売」というのはどのような仕事か

　大和ハウス工業には、「販売なくして企業なし」という言葉があります。どれだけ良い商品を作っても、販売力がなければお客さまに買っていただけません。そういう点で、「営業・販売」は会社にとって、もっとも大切な要素であると言えます。

　では、営業とは、どのような仕事でしょうか。もちろん、自分の会社の商品やサービスを、お客さまに売り込むのが営業の仕事ですが、本当に売り込まなければならないのは、自分自身です。この人なら、という信頼を得てこそ販売につながるのです。そのためには自身を磨き上げなければなりません。なぜなら、営業をしていくなかでは、商品やサービスに関する知識はもちろん、ライバル会社についての情報、世の中の動きから、お客さまの趣味に関する話題まで、幅広い知識を身につけていなくてはならないからです。また、仕事を通じてさまざまな人と出会うチャンスが多く、それが自分自身の勉強にもなるからです。さらに、営業という仕事の中で苦労をすることもありますが、苦労しないと他人の気持ちはわかりません。それが人間としての成長にもつながります。

　ただ、「営業はノルマがあってしんどい」と考えるか、「いろんな人に会えて楽しい」と喜びを感じられるかで、自分の成長の速度が違ってきます。前向きに考えればさまざまなアイデアも出てくるものですし、人脈も、人間の幅も広がっていきます。

　このように、営業という仕事に一所懸命打ち込むことにより、自らを磨き、成長させることができます。**営業ができることは、最高に幸せだと思ってほしいですね。**

「営業・販売」において、もっとも大切なことは何か

　どんな会社の営業スタッフになっても、その仕事を好きになることがいちばん大事です。好きになれば、お客さまに対する売り込み方法一つとっても、自分なりに工夫するものです。そういう自主性や向上心がなければ、成果はついてきません。

　積極的な精神で、熱意・誠意・創意という三つの「意」をもって行動し、失敗や成功を重ねながら自分で実践することによって覚え、成長していくのです。このように言うと難しいと感じるかもし

れませんが、要は気持ちの持ち方で、「どうしたらお客さまのためになるのか」だけを考えていれば、営業は簡単です。もし断られても、「自分は悪いことをしにきているのではない。お客さまに良い情報を持ってきているのに、断った方は損をされたな」と思えばいいのです。

　また、**話が上手でないと営業はできないと考える人がいるかもしれませんが、話し上手な人が営業スタッフとしても優秀であるとは限りません**。逆に話し下手で、お客さまの前に立つだけで顔が真っ赤になる人でも、熱意と誠意があれば、それは相手に通じるものです。そういう人がトップセールスになることもあります。向き・不向きは自分で思い込んでいるだけであり、営業を含め、会社の仕事くらいは誰にでもできるものです。はじめに苦手意識があったとしても「この仕事を経験することは、将来自分の役に立つはずだ」と思えば、勉強もするし、努力もします。**私も社会人になったときは、知らない人と話すのは苦手だと思っていました**。しかし、お客さまと話をしていて、自分に知識がなくて恥ずかしい思いをすれば、次にはその部分について調べてから行くなど勉強や工夫をしました。自分にどんな適性があるか、何が幸いするかは、ずっと先になってみないとわからないものです。

「営業・販売」に興味がある高校・大学生に向けて、何かアドバイスを

　まずは何事も、プラス思考でものごとを考えるようにしてください。また、学生のうちからいろんな人に会って、さまざまな経験をしてください。会社を興した人の伝記を読むのも良い勉強になります。そうすると、「他人がやれたのだから、自分にも絶対やれる」という気持ちになります。

　「為せば成る、為さねば成らぬ何事も、成らぬは人の為さぬなりけり」という名言があります。自分でどうにもならないと思い込み、努力をすることもなく「この仕事は自分に合っていない」と決めつけるのは、あきらめが早すぎるのではないでしょうか。一つのことを極められなければ、どんなことも極められません。

　私はいつも、新入社員に向けて「プロとアマチュアの違い」について話をします。いくつかある項目の中に、**「プロはできる方法を考え、アマチュアはできない言い訳を探す」**というものがあります。できない言い訳を探すのは、仕事から逃避しているにすぎません。

　たとえば、「自分にはできない」と思う役割を任されたとします。しかし最初から無理と決めつけるのではなく、それは重要な役割なのだと考えれば、真剣に取り組む気持ちになってきます。その道を極めるにはどうすればいいのか、と頭を切り替えたら、自分自身の成長につながっていくのです。

　営業という仕事は外部の人に接する機会が多いですが、若いうちはいろんな考え方を全部吸収できます。その中で失敗も経験するでしょうが、失敗から学ぶことも多くあります。営業に携わるということは、自分の財産を大きくできるチャンスだと思ってほしいですね。

　若いみなさんには将来があります。社会にとって財産となるような人〝財〟に成長することを目指して、学生のうちから日々頑張ってください。

営業｜ESSAY｜特別寄稿

株式会社ニトリ　似鳥昭雄(にとりあきお)

1944年樺太出身。北海学園大学卒業後1967年、似鳥家具店を札幌で創業。1972年、似鳥家具卸センター株式会社（現、株式会社ニトリ）設立。1986年、株式会社ニトリに社名変更。1993年、本州進出。茨城県ひたちなか市に本州1号店をオープン。2005年、秋の栄典で藍綬褒章を受章。2010年現在、全国に217店舗（台湾5店舗含む）を展開中。

ニトリという会社

　ニトリは、適正な品質機能を持ち、かつコーディネートされた家具を、普通の3分の1の値段で売っているお店です。でも従来のような小売店ではありません。従来の小売店とは、問屋さんを通して日本のメーカーから完成品を仕入れて販売するお店のことです。

　原料が完成品となってお客様の手元に届くまで、問屋さんも入れると10段階も過程があるのですが、われわれは商品開発企画から原料製造、加工、小売まで全工程を自社で補っています。

　ホームファッション、インテリアのトータルコーディネートをしている、屋内のプロデューサーのようなものだと思っています。

　安価な商品を提供するためには、さまざまな努力をしています。日本は人件費が高いので、インドネシアやベトナムなど海外の直営工場で原料加工をしています。また、社員の技術力の高さも不可欠です。製造の知識を持っているベテランをスカウトして採用することもあります。新入社員には、新人時代から10年かけて店舗の業務を徹底的に学んでもらいます。300もある店内の仕事を体で覚えます。でも、これでも半人前。その上で、30部署の中からやりたい仕事を選べるのですが、その後また10年かけて一人前の社員と言えると思います。

　どうしたらお客さんが来てくれるんだろう？　どうしたら他社と違うことができるのだろう？　と考え続ける知恵とクリエイティビティは人間にしかありません。「多数精鋭」社員を育てるために、お金も時間もかけて教育をします。

「営業・販売」をしなくても売れていく商品作りがニトリの最大の特徴です。

ニトリのサービス

「販売しなくても商品が売れる5大サービス」というのがあります。

・商品があること
・商品が完全な形であること
・買いやすくなっていること
・感じがよいこと
・コストがかからないこと

これを徹底的に追求することで、お客様が店舗に入ってきた時に劇場のように感動し、買い物が楽しいと思ってくれるのです。営業や販売をしなくても、売れていく商品作りを常に心がけています。一度来てみたらもう抜け出せない、何度でも通ってくださる「ニトラー」という言葉もあるくらいです。

　企業が満足してしまうと、お客様は逃げてしまいます。そのために社員は「3C主義」を心に留めて仕事をしています。

・Change（変化）—現状に満足せず、常に良いものを求め続ける
・Challenge（挑戦）—どんなことも前向きに考え、困難に挑戦していく
・Competition（競争）—常に自分を成長させることを考える

お客様の方向を向いて、想像し、調査し、発見し、向上させることが大切です。

高校生・大学生のみなさんへ

　最初は偏差値や、商品知識、資格など必要ありません。社会に出て経験をすることでしか学べないことはたくさんあります。私は、27歳でアメリカに渡り、悩み、勉強し、それでやっと何をすればいいのかが見えてきました。欧米に比べて、日本人の暮らしはまだまだ貧しいというのが当時の実感でした。チェーンストアを作って日本人の暮らしを豊かにしたい、そのために流通の仕組みを変えなければいけないと決心したのです。

　高校生や大学生のみなさんは、仕事を期限がある「やりがい」ではなく、一生かけて社会に貢献する「生きがい」と考えるのがいいと思います。やりがいだけを追求すると、結局得をするのは自分だけです。しかも、一時的な得です。でも、人の幸せのため、世のためというロマンとビジョンを持って働くと、たとえ一時売上げが減っても、必ずお客様は帰ってきてくれます。

営業 | ESSAY | 特別寄稿

三菱地所ホーム株式会社　前川達也

1964年三重県出身。高校卒業後、建築に夢を求め上京、アルバイトで学費を稼ぎながらデザイン学校を卒業。設計事務所で住宅設計に従事。1995年、営業職に転じ住宅メーカーに入社、店長となるが5年後に会社倒産。2000年三菱地所ホーム入社。

「営業・販売」というのはどのような仕事か

「もの」というのは、会社の商品や技術で、それを人や他の会社に販売します。

　私は現在、注文住宅の営業をしていますが、カッコ良く言うと夢を売る仕事です。注文住宅はご契約をいただいてから建物を作るので、契約の時はお客様の夢が詰まった紙の図面しかありません。販売というよりは、お客様と一緒に家を創るアドバイザーといった方が適切かもしれません。仕事の大まかな流れは、住まいを計画しているお客様と出会い、住まいへの夢や今の住まいの不満などを聞いて、お客様のご要望を取り入れて計画し何回かお打ち合わせをして契約となります。ご契約をいただいてから、さらに詳細な打ち合わせをして工事を開始します。工事途中でも現場確認をしたり、完成までには何度か打ち合わせをします。建物が完成してお引き渡しできるまでは、お客様と初めてお会いしてから約8ヶ月、長い場合ですと2年かかったケースもあります。その後もアフターサービスなど、お客様とは一生のおつき合いになります。住まいは、お客様のライフプランにかかわる仕事ですので、営業マンの実力が問われるとても重要な仕事です。それだけに「営業マンが良かったから契約しました」と言われる方が多いのはありがたいことです。

　住宅というのは、「一生の中でもっとも高価な買い物」と言われているだけに、いろんな「営業・販売」の中でも、かなり難易度の高い分野です。営業マンのレベルによってトップと最下位との差がものすごく出ますし、会社員としてはもっとも評価が明確にあらわれる職種なのでプレッシャーもありますが、それだけにやりがいや達成感は非常に大きく、私は大好きな仕事です。

「営業・販売」において、もっとも大切なことは何か

　それは**お客様との信頼関係です**。信頼をしている人からすすめられたら、安心してものを買えるし、何かトラブルがあったとしても、誠意を持って対応すればクレームにもならず、ご満足していただけます。

　その信頼関係がないと、ちょっとしたミスでも大クレームに発展することも多々あります。一言で信頼関係といっても、そんなに簡単に築けるわけではありません。信頼を築くのに重要なのは、相手の気持ちを充分理解することです。日本人は、あまり自分の感情を出さない方が多いので、今どう思っているか？　を理解するのが難しいのですが、相手の立場に立ってものを考えれば見えてくると思います。

トップセールスマンになると洞察力が鋭く、かゆいところに手が届く営業をしています。わかりやすく言うと気が利くということです。先日、こんなことがありました。たまにしか行かないコンビニでたばこを買おうとした時、自分の吸っているたばこの銘柄をど忘れし、名前が出てこなかった時に、アルバイトの茶髪のにーちゃんが、私の吸っているたばこを「こちらですか？」と持ってきてくれました。以前、私が買ったたばこを覚えていてくれたのです。そのバイト君の身なりから思いもつかなかったことに出会い、とても感激しました。

　バイトでも一所懸命に仕事をしていると、きっと大人になった時、役に立つことが多いと思います。また、私は部下に、**「よく働き、よく遊ぶこと！」**と言っております。趣味（釣り・ゴルフ・旅行etc.）・家族・好きなスポーツチーム・経済・笑える話など、お客様との談笑の中でも信頼関係は生まれてきますので、多趣味であることも重要な営業マンの要素の一つです。

　最後に一言。私がいつも心がけていることは、**「正直で常に自然体である」**ということです。自分の言葉で正直にお話しすれば、お客様との信頼関係は築けていけるはずです。

「営業・販売」に興味がある高校・大学生に向けて、何かアドバイスを

　営業するなら、やはり自分自身が好きなものを販売するのがベストです。自分が良いと思わないものを人に勧めるのは気が引けるし、説得力に欠け、仮に売れたにしても満足感は得られないでしょう。自分が最高だと思っているものですから、嘘偽りなくお客様にもお勧めできますし、それを買っていただいた時はうれしい気持ちになります。**私は以前エンジニアをしており、営業というと調子が良いとか、嘘つきなんてイメージを持っており、あまり好きな職種ではなかったのですが、他人から「お前は営業向きだ」と言われ、自分は正直に営業すれば良いと思いトライしました。**エンジニアの時よりも密に長くお客様と接するので、いろんな話が聞けてとても楽しいです。仲の良いお客様とは一緒に飲んだりゴルフをしたり旅行に行ったり、今ではすっかり友だちになっています。営業の適性を考えると、**たとえば「良いボールペンを買ったら人に自慢したい人」「安く買った商品を人に勧めたい人」「人と話すのが好きな人」「人に奉仕するのが好きな人」「人が喜ぶ姿を見るのが好きな人」「いつも同じことをしているのが嫌いな人」「机に長く座っていられない人」などは「営業・販売」に向いていると思います。**

　営業の仕事では「成績がよく会社で表彰された時」「自分を信頼して高額の商品を買っていただいた時」「携わった建物が完成した時」「想像以上の建物ができたとお客様にとても感謝された時」「お客様の友人を紹介していただいた時」など、感動できる場面がいっぱいあり、とても楽しいので、生涯の仕事として考えてみてはいかがでしょうか？　誠実に一所懸命に頑張れば、必ず成功できると思います。

営業｜ESSAY｜特別寄稿

株式会社21　平本清

1950年広島県出身。1968年に県内大手メガネチェーン入社後、1986年社長交代劇に巻き込まれ解雇。同僚4人と「メガネ21」（現、株式会社21）を設立する。現在全国120店舗以上、年商85億円に成長。自身でも「フチナシメガネFit」を開発し、ヒット商品となっている。

私の就職

　私は高校3年生の時に就職活動を行いましたが、販売業を目指したわけではありませんでした。むしろ、工業高校でしたから製造業へ行くのが自然でしょう。

　でも、眼鏡店を選びました。選んだと言えば聞こえはよいのですが、**広島で一番高い初任給に惹かれて受験したのです**。また、工場のアルバイトをして指を怪我したことがあったので「眼鏡屋さんなら大きな怪我はないし、冬は暖かく夏は涼しい職場だ」と魅力を感じたのです。

　子どもの頃から私は、強欲商人が悪代官と悪巧みをするテレビを見て育ちました。「越後屋〜お主も悪よのう〜」の決まり文句も覚えていましたし、「士農工商」の階級で商人の低い位置づけと、「商売人だね」と呼ばれるのは狡賢い意味だと認識していました。

　だから眼鏡屋に就職した直後は営業ではなく、好きな技術系の仕事を志望し、レンズ表面加工機械のオペレーターやレンズを削りメガネフレームへ嵌め込む加工に励みました。眼鏡の勉強に励もうとした動機は単純です。中・高校時代に勉強は苦手だから授業中は苦痛を感じていましたが、得意な卓球の練習は辛くても自主的に続けられました。**就職すれば仕事時間は授業時間よりも長いのだから、苦手な仕事に就いたら苦痛が続き辞めるしかなくなる、と考えたからです**。

眼鏡屋の技術職と販売職

　眼鏡屋は小売店ですが、技術職と販売職があります。技術職とは検眼・加工・フィッティングです。お客様が希望されるレンズの度数を探し出すのが検眼。フレームの玉型に合わせて丸いレンズ生地を削りフレームに嵌め込むのが加工。

　最後に顧客の顔に合わせてフレームを曲げたり伸ばして掛け心地をよくするのがフィッティングです。50年前は検眼・加工・フィッティングを習得するのに10年かかりましたが、機械化が進み、最近は1〜4年で学べます。だから眼鏡専門学校を卒業すれば一般的な検眼・加工・フィッティングはできます。

でも似合う眼鏡を探し出す販売職の仕事は50年前よりも商品アイテムが激増し消費者のニーズも多様化したので合理化が進みません。そこで最近は消費者がセルフで似合うフレームを探す店と、眼鏡の知識を持つ販売者のアドバイスで作る店に二分化しています。セルフ販売の店は消費者が自己責任で商品を選びますから対応はアルバイトでも可能です。対極の、商品知識が豊富な販売職は消費者の信頼を得るだけのアドバイスが要求され商品選びの責任を負わなければなりません。

　どちらにしてもセルフ販売と販売職の競争で、売値と付加価値を消費者が比較して購入店を決めます。消費者のリクエストはそれこそ千差万別ですから両方の眼鏡店が生き残ると思いますが、㈱21は気配りが利いた技術力と接客力で顧客満足度を高める経営を目指しています。

㈱21の優れた販売職とは

　一般に販売職は売上げノルマ達成で優れた営業マンと呼ばれます。しかし私達はノルマを販売員に課せば顧客満足度が下がると考えています。なぜなら、消費者の要望より上司が喜ぶノルマ達成が優先されるからです。また発令されるノルマは正確さに欠け販売者のヤル気を削ぎ生産性が落ちると思います。それは社会主義国家のノルマ制でも証明されています。では売上げノルマがない㈱21で優れた販売者の定義は何か？　実は「売上げ」なのです。**販売職の優劣は売上げで決まるのが当然だと思います**。ノルマを最優先させれば顧客満足度が下がり翌年、翌々年とドンドン顧客離れが進みます。逆に顧客満足度を高める努力を継続すれば、市場シェアが飽和状態に近づくほど成長は少なくなりますが業績は継続的に上がります。

　たとえばお客様が1万円と2万円の眼鏡を気に入り悩んでいた場合、同じくらい似合い品質がそれほど変わらなければ、身内の立場で「1万円の方がお買い得ですよ」と推奨するように私達は指導しています。

ノルマがあればどうしても目先の売上げにとらわれ2万円の眼鏡を薦めてしまい、大きな信頼は得られず顧客満足度は高まらないと信じています。
　だから㈱21では、気配りで顧客満足度を高める人を優秀な販売者、と定義しています。**優秀な販売者は、消費者と生産者の架け橋になる重要な職種です。顧客満足度を高めた実績を持つ販売者の商品情報は、生産者にも重宝されメーカーからも信頼されてカリスマバイヤーにもなれます。**

高校生 & 大学生へのアドバイス

　扱う商品によって「販売職の適性」は異なるでしょうが、私達は**優しそうな容姿と話せば親近感が湧いてくる人を採用しています**。だから、販売職の面接は短時間で終わります。面接者が好まないタイプは消費者にも好かれないだろうと考えるからです。**人前で話すのが苦手な人でも販売職は個人面談に近いので、好きで興味がある商品の仕事ならすぐに慣れます。**興味のないスポーツのルールは簡単に覚えられないけれど、石川遼君を素敵だと思う人は懸命にゴルフを知ろうとします。
　興味の対象が商品でなく私のように高額初任給や仕事場環境でもよいのですが、好きな条件がなく興味もなければ我慢の連続を強いられる仕事ですから選ばない方が賢明です。
　でも素敵な異性社員や素敵な消費者に出会うチャンスが大きいのも販売業の魅力ともいえますので好奇心を持てば楽しい職場となるかも知れません。
　職場を下見された学生さんのなかに時々勘違いされる方がおります。それは「親切に接客してくれた販売者に好感を持ち、入社後にも消費者と同じようにお客様扱いを期待される」ことです。
　社員になればアンテナを張り巡らせて消費者のリクエストに応える販売員の立場に変わることを理解してください。販売業で優秀な先輩方は気配りの達人ですから、後輩に心配りが足りないと判断すれば厳しく指導します。キャビンアテンダントの鬼教官をイメージすればよいと思います。
　仕事とは人様のリクエストに応えることだと考えています。しかし消費者のリクエストは千差万別です。
　お金持ちでいつも高価な眼鏡を購入される方も海釣り用は深い海に落として回収不能になるので安価な眼鏡を推奨するのが気配りだと思います。
　高級な眼鏡が欲しい方に安価な眼鏡を説明しても時間のむだであり、安価な商品を希望されているのに高級商品を推奨するのは嫌がられます。
　販売職は消費者から繰り出される千差万別のリクエストに応える仕事で鍛えられ、生産者へ適切なリクエストを伝える仕事ができるようになり、両者から感謝される仕事で大きな達成感が得られる職種だと思います。
　販売業に興味がある学生さんは学校のOBで在職中の先輩から話を聞くのもよいですが、自分の立場もあるので会社の問題点は教えてくれないかも知れません。だから就職試験を受ける前に家族・親戚・友達と、競合店を含めて対象の販売店へ買い物に同行することを薦めます。

おわりに

　去年の春、『新13歳のハローワーク』の追加職業の検討作業中に、わたしは、中学卒業から社会人になるまでの略図のようなものを、矢印を使って描きはじめた。同席していた幻冬舎の編集者に、「進路の図面を作ろうか」と軽い口調で言って、ハミングしながらメモ書きのように図を描いた。きっとわたしは、これはいいアイデアだとうれしくなったのだ。しかし、その進路図作製は予想をはるかに超えて困難を極め、そのあと半年以上経っても完成せず、わたしはやがて複数の矢印が交錯する悪夢を見るようになった。

　最大の難物は、「公的職業訓練施設」だった。わたしは、日本の公的職業訓練について、ほとんど何も知らなかったのだ。どんな歴史があるのか、現状はどうなっているのか、訓練は有効なのか。資料を読み、取材を進めていくうちに、日本という国では、学校教育と職業訓練が切り離されているという基本的な事実に気づいた。どこの国でも、教育というのは「子どもを、一人で生きていける大人にする」ために行われる。「大人になって一人で生きていく」ためには職業に就く必要があるが、そのための訓練が、教育システムに組みこまれていない。

　「進路」という言葉は、今や手垢にまみれている。「進路指導」に代表されるように、子どもが現実と最初に向かい合い、自分の限界を知るというような、重苦しいニュアンスになってしまった。しかし、本来「進路」は、可能性に充ちた未来への道であるはずだ。未来への道筋を示す「進路」という言葉の輝きを取り戻すために、この本は作られた。

　はまのゆかさんには、『新13歳のハローワーク』に続いて、暖かくて優しい気持ちになるイラストを数え切れないほど描いていただいた。深く感謝します。さらに、「営業特別エッセイ」をくださった企業人のみなさんにも、心からの感謝を表します。

2010年3月　村上龍

村上　龍
Ryu Murakami

●

1952年長崎県生まれ。「限りなく透明に近いブルー」で第75回芥川賞を受賞。絵本『あの金で何が買えたか』、社会的ひきこもりをテーマにした『共生虫』や集団不登校を始めた中学生たちが半独立国を築くまでを描いた『希望の国のエクソダス』、北朝鮮反乱コマンドの九州侵攻を描く『半島を出よ』など、話題作を発表し続けている。金融経済を中心に扱ったメールマガジン「Japan Mail Media」の編集長を務める。

はまのゆか
Yuka Hamano

●

1979年大阪府生まれ。大学在学中の99年に『あの金で何が買えたか』でイラストレーターとしてデビュー。自作絵本に、『いもほり』『mamechan』などがある。2007年に『2007 mamechan calendar』で第36回日本漫画家協会賞・特別賞を受賞。
http://www.hamanoyuka.net/

『13の進路』スタッフ
石原正康／篠原一朗／壺井円／大野里枝子／森井明（幻冬舎）
カバーデザイン：平川彰（幻冬舎）
寒灯舎『新13歳のハローワーク』取材チーム
本文デザイン：鈴木麻子
DTP：手塚英紀

13歳の進路

2010年3月29日　第1刷発行
2023年1月31日　第14刷発行

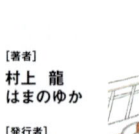

[著者]
村上　龍
はまのゆか

[発行者]
見城　徹

[発行所]
株式会社　幻冬舎
〒151-0051　東京都渋谷区千駄ヶ谷4-9-7
電話　03-5411-6211（編集）
　　　03-5411-6222（営業）
公式HP：https://www.gentosha.co.jp/

[印刷・製本所]
中央精版印刷株式会社

検印廃止

万一、落丁乱丁のある場合は送料小社負担でお取替致します。
小社宛にお送り下さい。本書の一部あるいは全部を無断で複写複製することは、
法律で認められた場合を除き、著作権の侵害となります。定価はカバーに表示してあります。

©RYU MURAKAMI,YUKA HAMANO,GENTOSHA 2010
Printed in Japan
ISBN978-4-344-01803-7 C0095

この本に関するご意見・ご感想は、
下記アンケートフォームからお寄せください。
https://www.gentosha.co.jp/e/